SZEGED

SZEGEDEN

SZEGED

Kép / Bild / Photo / Photos: NAGY BOTOND
Szöveg / Text / Text / Texte: PÉTER LÁSZLÓ

GRIMM KÖNYVKIADÓ
SZEGED 2002

Fotó:
Nagy Botond
Michailovits Lehel (80., 81. lap)

Szöveg:
Péter László

Köszönjük dr. Csúri Károlyné (Somogyi-könyvtár),
Kerekes László (Air Doktor Kft.), dr. Michailovits Lehel (Szegedi Tudományegyetem),
és dr. Csizmadia Gábor (Démász Rt. Szegedi Üzletigazgatósága) segítségét.

Köszönetet mondunk továbbá mindazoknak,
akik bizalmukkal és segítőkészségükkel a fényképek elkészültéhez hozzájárultak.

ISBN 963 9087 36 X

Kiadja a Grimm Kiadó, Szeged
Negyedik, változtatott kiadás, 2002

Fordítás / Übersetzung / Translation / Traduction:
Georg Klein, Klemm Tamás, Tápainé Balla Ágnes, Soósné Vőneki Edina, Vigh Szilvia, Pálfy Miklós

Lektorok / Lektoren / Proof-reader / Relecture:
Georg Klein, Paul Haider, Vanessa Bourbon

Technikai szerkesztés: Grimm Kiadó
Borítókép: Nagy Botond
Nyomdai előkészítés: Focus Design, Szeged

A kiadásért felel: Borbás László, a Grimm Könyvkiadó Kft. ügyvezető igazgatója

Nyomdai kivitelezés: Szegedi Színes Nyomda Kft. (+36-62-499-788)

A Város vázlatos története

Szeged a Tisza és a Maros torkolata miatt, átkelőhely lévén, az őskőkortól lakott terület. A Kr. e. II. század közepén Ptolemaiosz Partiszkon néven említi. A nagyszéksósi hun fejedelmi lelet valószínűsíti, hogy Attila székhelye a környéken lehetett. A honfoglaló magyarság sűrűn megszállta. *Neve először 1183-ban szerepel oklevélben,* jellemzően a város létét meghatározó só kapcsán. Így említi az Aranybulla (1222) is. Magyar nevét is földrajzi helyzetétől, a Tisza itteni nagy kanyarjától kapta: a kiszögellést jelentő *szeg* szó *-d* helynévképzővel. IV. Bélától 1247 előtt kapta *városi rangját.*

Az Árpád-kor végén jelentős hadászati és egyházi központ. II. Ulászló 1498. július 4-én *a szabad királyi városok közé iktatta.* Szerepe a török elleni védekezésben tovább nőtt. A hódoltság alatt főként juh- és marhatenyésztése fejlődött tovább. Mint szultáni birtok, *khász város,* viszonylagos kíméletet élvezett.

A török alóli fölszabadulás után gyors fejlődésnek indult. Megmaradt és a környékről ideköltöző magyar, betelepült német, szerb és bunyevác lakossága versengett a gazdasági, társadalmi, művelődési haladásért. III. Károly 1719. május 21-én megerősítette Szeged korábbi jogállását, *szabad királyi várossá* minősítette. (Május 21-e ezért *Szeged napja.*) 1721-ben kezdték meg a tanítást a piaristák. 1728-ban a várost boszorkánypör keverte Európa-szerte kedvezőtlen hírbe. Ezt a század fordulóján Vedres Istvánnak, „Szeged Széchenyijének" és Dugonics Andrásnak, a magyar regény atyjának munkássága ellensúlyozta. 1801-ben létesült az első nyomda, 1833-ban érkezett az első gőzhajó, födélzetén Széchenyi Istvánnal.

A szabadságharcból kivette részét Szeged népe. Kossuth 1848. október 4-én mondotta el híres toborzóbeszédét. Szegeden szólt utoljára is nyilvánosan a hazában, 1849. július 12-én. Az itt ülésező nemzetgyűlés alkotta a nevezetes, bár megkésett nemzetiségi törvényt.

Világos után Szeged fejlődését a vasút lendítette föl: 1854-ben Szegedig, 1857-ben Temesvárig épült meg; 1864-ben megnyílt az alföld–fiumei vonal is. Szintén a század második felét jellemezte a kiterjedt szegedi határ benépesülése Szabadka, Kiskunhalas és Kistelek alá, a tanyavilág kibontakozása. A város földbérleti rendszere (1852) miatt e tájon sem kivándorlás, sem parasztmozgalom nem volt. A szegedi nép szorgalmát jól jellemezte a halasi szólás: *Ha a szögedi embört este mögkoppasztik, röggelre kitallasodik.*

Nagy változást idézett elő viszont az 1879. március 12-i árvíz („a Víz"), mert eltörölte a régi belvárost. A mai, egységes eklektikus városképet az 1879–1883 közötti újjáépítés teremtette meg. A legtöbb közintézmény is ekkor létesült. A korábbi kézművesség helyébe ekkor lépett a gyáripar, elsősorban a kenderfonó- és szövő-, valamint a szalámigyár. (Ekkoriban született a városi közgyűlésben Sári János városatya híres definíciója: *Gyár az, ami füstöl.*) Velük együtt növekedett a munkásság is, s ezzel párhuzamosan erjedt a munkásmozgalom.

Szegeden az országosnál előbb, 1918. október 22-én megalakult a helyi Nemzeti Tanács, és a városi közgyűlésben Móra Ferenc már november 2-án köztársaságot követelt. December végén francia csapatok szállták meg a várost, és jelenlétükkel befolyásolták a tanácsköztársaság helyi eseményeit. Védőszárnyaik alatt bontakozhatott ki már 1919 áprilisában, sőt május 7-én fölülkerekedett az ellenforradalom. Viszont az 1920 elejéig tartó francia jelenlét némileg korlátozta az ellenforradalmi megtorlást is.

1921-ben Szegedre települt a kolozsvári egyetem. 1923-ban ide tette át székhelyét Temesvárról a csanádi püspök. 1928-ban leköltözött Pestről a tanárképző főiskola. A Víz után tett fogadalomból 1913-ban megkezdett, a háború kitörésekor félbehagyott dómnak és a köréje tervezett térnek építése 1930-ban fejeződött be. A régi templom bontásakor került elő a város legrégibb műemléke, a Dömötör-torony. A Dóm tér tette lehetővé a szabadtéri játékok megindítását (1931, 1933–39, 1959–). Szeged nevét a világgal Szent-Györgyi Albert Nobel-díja (1937) ismertette meg.

Szegedet 1944. október 11-én foglalták el a szovjet csapatok. Itt alakult meg november 2-án a Magyar Nemzeti Függetlenségi Front. Itt jelent meg november 19-én az első, máig élő napilap, a Délmagyarország.

A földreform elsősorban az addigi bérlőket tette birtokosokká. A hajdani tanyaközpontok 1950-ben községgé önállósultak. A 816 km² nagyságú szegedi határ 112 km²-re csökkent. De 1973-ban a városhoz csatolták a környező öt községet (Algyőt, Dorozsmát, Gyálarétet, Szőreget, Tápét).

Az ipari fejlődés eleinte a hagyományos könnyűipar bővítésével indult, ám a jugoszláv határ közelsége az ötvenes években ezt is megbénította. 1957 után települt a városba a gumigyár, kábelgyár; az 1965-ben lelt olaj és földgáz egészen átformálta a város ipari szerkezetét. A „szegedi medence" ma az ország olajtermelésének 67, földgáztermelésének 53%-át adja, és hazánk még kitermelhető olajának 46, földgázának 40%-át rejti.

Szeged a vidék legnagyobb szellemi központja. A Magyar Tudományos Akadémiának tizenhét rendes és öt levelező tagja dolgozik a városban. A Szegedi Tudományegyetemben egyesült korábbi két egyetem, három főiskola, két főiskolai tagozat. 17 középiskola, két szakmunkásképző, 35 általános iskola együtt mintegy ötvenezer tanítványával iskolavárossá teszi Szegedet. Nemzetközi jelentőségű az MTA Biológiai Központjában 1973 óta folyó kutatómunka. A Gabonatermesztési Kutatóintézet a növénynemesítés dél-alföldi központja. A Somogyi-könyvtár gazdag anyagával mind a közművelődést, mind a tudományos kutatást szolgálja. A Szegedi Nemzeti Színház operatagozata országosan kezdeményező kedvéről híres. Az irodalmi élet az ország legrégebben alapított, ma is élő folyóirata, a Tiszatáj (1947–) köré tömörül. Itt jelenik meg az országos gyermekfolyóirat, a Kincskereső (1971–). A Szeged táncegyüttes külföldön is megbecsülést szerez hazánknak, a városnak.

Szeged 1962 óta ismét Csongrád megye székhelye.

A rendszerváltozás (1989) óta átalakult mind az ipar, mind a mezőgazdaság szerkezete; nőtt Szeged iskolaváros jellege, s az átmenet nehézségei ellenére föllendült a helyi szellemi élet, tudományos kutatás, könyvkiadás.

Szeged *a napfény városa.* A napsütéses órák átlagos évi összege meghaladja a 2100-at, vagyis az ország napfényben leggazdagabb tája.

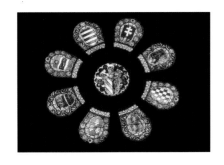  

Geschichte der Stadt im Aufriß	A brief history of the City	L'histoire esquissée de la ville

Geschichte der Stadt im Aufriß

Die Stelle des Flußübergangs an der Mündung des Maros in die Theiß ist seit der Altsteinzeit besiedelt. Ptolemäus erwähnt die Siedlung im 2. Jahrhundert v. Chr. unter dem Namen Partiskon. Wahrscheinlich befand sich hier auch der Stammsitz Attilas.

Der Name Szeged wird 1183 erstmals urkundlich erwähnt. 1247 wird die Siedlung zur Stadt, 1498 zur Königliche Stadt erhoben. Während der Türkenherrschaft erfährt Szeged als Besitz des Sultans relative Schonung.

Nach den Türkenkriegen lebt die ungarische, deutsche, serbische und bunjewazische Bevölkerung nebeneinander in der Stadt. Am 21. Mai 1719 werden Szegeds Rechte als freie königliche Stadt bestätigt. 1721 beginnen die Piaristen ihre Lehrtätigkeit. Der Hexenprozeß von 1728 bringt die Stadt in Verruf. 1801 wird die erste Druckerei gegründet, 1833 erreicht zum ersten Mal ein Dampfschiff die Stadt.

Auch am Freiheitskrieg hat Szeged seinen Anteil: Hier hält Kossuth am 4. Oktober 1848 seine berühmte Rekrutierungsrede und am 12. Juli 1849 seine letzte Rede auf ungarischem Boden.

1854 erreicht die Eisenbahn Szeged, 1864 wird die Verbindung mit Triest eröffnet.

Am 12. März 1879 zerstört das große Hochwasser die Innenstadt. Durch den Neuaufbau entsteht das einheitliche eklektizistische Stadtbild.

Von 1918 bis 1920 ist die Stadt von französischen Truppen besetzt.

1921 wird die Klausenburger Universität, 1923 der Temesvarer Bischofssitz, 1928 die Pester Pädagogische Hochschule nach Szeged verlegt.

Der 1913 begonnene, durch den ersten Weltkrieg unterbrochene Bau des Doms wird 1930 beendet. Beim Abriß der alten Kirche wird das älteste Baudenkmal Szegeds, der Dömötör-Turm,

A brief history of the City

The city of Szeged is situated at the confluence of the rivers Tisza and Maros. Because of its favourable location it has been inhabited since prehistoric times. Its name is first mentioned in a charter in 1183 in connection with salt trade. It acquired its city status before 1247 and became a free royal city in 1498. Szeged was occupied by the Turks and after their expulsion saw the start of a rapid growth.

In 1728 Szeged gained a bad reputation because of witchcraft trials.

On 12 March 1879 the Tisza flooded the city. Today's unified cityscape was created during the years of reconstruction at the turn of the century.

The city's Cathedral was built 1913–1930 as a result of a pledge taken by the magistrates of Szeged at the time of the Flood. Szeged acquired international recognition in 1937, when Albert Szent-Györgyi received a Nobel Prize.

On 11 October 1944 Szeged was occupied by the Soviet Army.

New industries were gradually introduced in Szeged, in addition to the existing manufacturing industries hemp and textile factories and the salami factory, later rubber and cable factories were established. The oil and natural gas found near Szeged in 1965 had a great impact on the city's industrial development.

Szeged is also an important intellectual centre of the region. There are a university and three colleges in the city besides the numerous primary and secondary schools. The Hungarian Academy of Sciences' Institute of Biology and the Horticultural Research Institute are important centres of scientific research. The Somogyi Library and Szeged's National Theatre provide useful means of intellectual pastimes.

Since 1962 Szeged has been the seat of Csongrád county. Since the fall of the Iron Curtain (1989) the structure of

L'histoire esquissée de la ville

Szeged, lieu de passage grâce au confluent de la Tisza et du Maros, est un site peuplé depuis la préhistoire. Au milieu du IIe siècle, Szeged est mentionné par Ptolémée sous le nom de « Partiszkon » (Partiscon). C'est dans une charte de l'année 1183 que le nom « Szeged » figure. Son nom hongrois vient de la situation géographique de Szeged dans la grande courbe de la Tisza : le mot « szeg » signifie « coin ».

Au temps du roi Béla IV, Szeged obtient le rang de ville.

Après la domination turque, Szeged commence à se développer de façon accélérée.

Le 21 mai 1719, le roi Charles III classe à nouveau Szeged dans les villes royales libres. Depuis, le 21 mai est le jour de Szeged. Cependant en 1728, à cause des procès des sorcières, la ville se fait un mauvais renom en Europe, puis, en 1801, la première imprimerie est fondée. Et c'est en 1833 que le premier bateau à vapeur arrive avec István Széchenyi à bord. Après 1849 la voie ferrée donne de l'élan au développement de Szeged : en 1864 la ligne d'Alföld (la Plaine hongroise)–Fiume est construite.

Un grand changement est dû à la grande inondation (dite l'Eau) du 12 mars 1879, rasant l'ancien centre de la ville. C'est par la reconstruction, (de 1879 à 1883), que le visage homogène et éclectique de la ville est réalisé.

Ensuite, en 1921 l'université de Kolozsvár est transférée à Szeged.

La construction de l'Eglise votive commencée en 1913 et interrompue par la première guerre mondiale est terminée en 1930. C'est pendant la démolition de l'ancienne église que le monument le plus ancien de la ville, la Tour Dömötör (Démétrius) est découverte. La place Dóm donne la possibilité d'organiser le Festival de plein air (1931, 1933–39, 1959–).

entdeckt. Auf dem Domvorplatz finden 1931, von 1933 bis 1939 und seit 1959 die Freilichtspiele statt.

Der Nobelpreis für Albert Szent-Györgyi im Jahre 1937 macht den Namen Szeged in der Welt bekannt.

Am 2. November 1944 nehmen sowjetische Truppen die Stadt ein.

1962 wird Szeged wieder zum Regierungssitz des Komitats Csongrád.

1965 werden im Szegediner Becken bedeutsame Erdöl- und Erdgasvorräte gefunden.

Heute ist Szeged mit der Universität, den 17 Gymnasien, 2 Berufsschulen und 35 Grundschulen mit zusammen etwa 50 000 Schülern und Studenten das größte geistige Zentrum in Ungarn außerhalb Budapests.

Und Szeged ist auch die »Stadt des Sonnenscheins«. Mit mehr als 2100 Stunden mittlerer jährlicher Sonnenscheindauer ist Szeged die sonnigste Stadt Ungarns.

Szeged's industry and agriculture has changed, and the local intellectual life is flourishing.

Szeged is the city of sunshine. The annual number of sunshine hours exceeds 2100.

Le nom de Szeged est devenu célèbre dans le monde entier grâce au prix Nobel d'Albert Szent-Györgyi (1937).

L'extraction du pétrole et du gaz naturel en 1965 reforme entièrement la structure industrielle de la ville. Le « bassin » de Szeged donne aujourd'hui 67% de l'extraction du pétrole et 53% de celle du gaz naturel du pays.

Mais Szeged est aussi le plus grand centre intellectuel de la région. L'Université Szeged, 17 écoles secondaires, 2 écoles professionnelles, 35 écoles primaires avec leurs presque 50 000 étudiants font de Szeged une ville scolaire et universitaire.

Szeged est le chef-lieu du département de Csongrád depuis 1962.

D'autrepart, Szeged est la ville du soleil. La somme annuelle d'heures d'ensoleillement dépasse le nombre de 2100. Il s'agit donc de la région la plus riche en soleil dans le pays.

A Belváros

Szeged ősi magja a Palánk. Nevét onnan kapta, hogy a vár közvetlen környékét palánkokkal és árkokkal védték az ellenséggel szemben. A várárkot Savoyai Jenőről Eugénius árkának, csillagsáncnak, mélysáncnak nevezték. A Palánk határa egyre tágult; a mai Belváros a Víz után kialakított kerekes–küllős városszerkezetben a nagykörúton belüli terület. Az ősi Palánk nevét az Oskola utca és a Tisza-part közötti új házcsoport őrzi. A század elejéig az Oskola utca volt a város főutcája. Végén, a Templom, a mai Dóm téren állott a kegyesrendiek 1721 óta működő gimnáziuma. Most a sarkán a régi Hungária Szálló, a Szegedi Akadémiai Bizottság székháza emlékeztet az utca régi rangjára. De kulturális szerepét fönntartja az újabb piarista gimnáziumból lett egyetemi Bolyai Intézet, a Tömörkény gimnázium, a püspöki palota és hittudományi főiskola, a nemrég itt emelt könyvtárpalota.

A 18. századi Palánkból három kapun át lehetett kijutni. A Pétervárdi vagy Szabadkai kapu a mai Kárász és Kölcsey utca, a Budai vagy Kecskeméti kapu a Kossuth Lajos sugárút és a Vadász utca, a Csongorádi vagy Erdéli kapu a Juhász Gyula és a Szent Mihály utca kereszteződése táján állott. Mindhárom helyen fölvonóhidak voltak.

A török hódoltság után betelepülők a Palánkban nemzetiség szerint különültek el. A németek a városháza mögött, a mai kis- és nagykörút közt; a zsidók ugyanott, zsinagógájuk körül; a szerbek két templomuk környékén: a mai görögkeleti szerb templom és a mostani Hungária szálló előtti téren álló kisebb templomuk *(kiscërkó)* körül; a bunyevácok, katolikusok lévén, a dóm helyén levő Dömötör-templom táján helyezkedtek el. Ők rendkívüli gyorsasággal, szűk évszázad alatt olvadtak össze az egy valláson levő magyarsággal, s adták nekünk kiváló fiaikat, Dugonics Andrást, Vedres Istvánt s másokat. A magyarság vonzása a németeket is magához hasonította; nyelvünknek szenvedélyes védelmezője, a szegedi tájszavak első gyűjtője a Nadlnak született Nátly József lett. A 20. század elején Szegedet már „magyar Moszkvaként" emlegették.

A Belváros közepe a hajdani nagypiac, főpiac, 1848-ban Szabadság tér, 1860 óta Széchenyi tér. Itt van a városháza, a főposta, a bíróság, a takarékpénztár és számos üzlet. A Klauzál tér csak 1874 óta, a Kiss Dávid-ház fölépülésével különült el tőle. Üzletek sorakoznak a Széchenyi teret a Dugonics térrel összekötő Kárász utcán, Szeged sétáló utcáján is. A hajdani búzapiac azóta Dugonics tér, mióta a város első világi köztéri szobra, Dugonics Andrásé ott áll (1876). Vele szemben a hajdani főreáliskola, majd ítélőtábla, ma az egyetem központi épülete.

A várat a Víz (1879) után bontották le. Megőrizték a kései Mária Terézia-kaput (1751); helyén épült *A közművelődésnek* emelt palota, ma a múzeum épülete. Előtte nyüzsgött a 30-as évek közepéig a *makai piac*, a hídföljáró túlsó oldalán pedig a *halpiac*. 1927 és 1950 közt a kisvasút, az alsótanyai gazdasági vasút végállomása.

Az egyetem idetelepülésével szükségessé váló, 1926 és 1930 közt épülő klinikák a Tisza-parton sorakoznak. A Tiszára merőleges régi utcák, köztük az Ipar utca, amelyben — a sebészeti klinika helyén — Juhász Gyula szülőháza is állott, az építkezés áldozatául estek. Ahogy Tömörkény lakóháza is a mai Palánk építésekor.

Die Innenstadt

Der alte Kern Szegeds war die »Palánk«. Der Name rührt daher, daß die unmittelbare Umgebung der Burg durch Palisaden (= palánk) und Gräben geschützt war. Die heutige Innenstadt bildet das Gebiet innerhalb des großen Rings.

Eine Häusergruppe zwischen Theiß und Oskola-Straße bewahrt den alten Namen »palánk«. An den früheren Rang der Oskola-Straße als Hauptstraße erinnert das Akademiegebäude, das Bolyai-Institut der Universität, das Tömörkény-Gymnasium, der Bischofs-palast, die Theologische Hochschule und das Bibliotheksgebäude.

Nach der türkischen Besetzung siedelten sich in der Innenstadt verschiedene Volksgruppen an: Deutsche, Juden, Serben und Bunjewazen.

Das Zentrum der Innenstadt ist der Széchenyi-Platz (der frühere große Markt) mit dem Rathaus, der Hauptpost, dem Gericht, der Sparkasse und zahlreichen Geschäften. Geschäfte reihen sich auch in der Kárász-Straße, Szegeds Fußgängerzone, aneinander, die den Széchenyi-Platz mit dem Dugonics-Platz verbindet.

Die Burg wurde nach dem Hochwasser abgerissen, an ihrer Stelle entstand das Museum. Am Theißufer entstanden die Universitätskliniken.

The Inner City

Szeged's heart is referred to as the 'Palánk' (Plank). The name originates from the defending planks around the fortress of that time. The name is still preserved in the name of the area between Oskola street and the Tisza.

After the Turkish occupation the new settlers settled down in isolated groups, the Germans behind the City Hall, the Jews around the Synagogue, the Serbians in the neighbourhood of their two churches and the Catholic Serbians around the Dömötör Tower.

The centre of the inner city was the market place, in 1848 it was Szabadság (Freedom) Square and since 1860 known as Széchenyi Square. Here are to be found the City Hall, the Central Post Office, the Court of Justice, the National Savings Bank and various shops. There is also a great number of shops on the promenade of Szeged; Kárász street.

The fortress of Szeged was pulled down after the Flood. The Maria Theresa Gate (1751) is preserved. The Palace of Public Education (today museum) was built on its site.

The clinics are located along the bank of the Tisza.

Le Centre de la ville

Le berceau ancestral de Szeged est le « Palánk ». Son nom vient des palissades et des fossés entourant la forteresse contre les ennemis. Ce sont les bâtiments situés entre la rue Oskola et le bord de la Tisza qui conservent le nom de l'ancien « Palánk ». Jusqu'au début du siècle la rue Oskola était la rue principale de la ville. Aujourd'hui c'est le siège de la Commission Académique de Szeged, le Lycée piariste devenu l'Institut Bolyai de l'Université, le Lycée Tömörkény, le Palais épiscopal, l'Ecole Supérieure de Théologie, et le Palais de la Bibliothèque Somogyi qui rappellent l'ancien rôle de la rue.

Après l'occupation turque, des allemands, des juifs, des serbes et des catholiques se sont installés dans la ville.

Le milieu du Centre de la ville est l'ancien grand marché. Il est devenu en 1848 la place de la Liberté, et depuis 1860 la place Széchenyi. C'est là que se trouvent l'Hôtel de Ville, le Palais de Justice, la Caisse d'épargne et de nombreux magasins. La rue Kárász reliant la place Széchenyi et la place Dugonics est la rue piétonne de Szeged.

Le Palais « Pour la culture » (A közművelődésnek, aujourd'hui Musée Móra Ferenc, a été construit à la place de la forteresse anéantie après l'Eau (1879).

Szent Imre szobra *(Ohmann Béla, 1930)* a Dóm tér sarkán az épületszárny rendeltetésére, a katolikus egyetemi hallgatók Szent Imre Kollégiumára utal.

St. Emmerich Statue am Domplatz.

Statue of St. Imre (Emericus) in front of the dormitory for Catholic students.

Statue de Saint Imre (Emeric) au coin de la place Dóm.

A Somogyi-könyvtár új palotájának *(1984)* üvegtábláin a dóm tornya tükröződik.

Somogyi Bibliothek.

Reflection of the Votive Church (Fogadalmi Templom) in the glass-panes of the Somogyi Library.

Tour du Dóm qui se reflète dans les panneaux de verre de la Bibliothèque Somogyi.

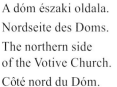

A dóm északi oldala.

Nordseite des Doms.

The northern side of the Votive Church.

Côté nord du Dóm.

*Elnézlek sokszor a magány s az álom
Csöndes ködfátyolán át, est ha száll...*

Juhász Gyula

A Fogadalmi templom
(1913–1930)
a legismertebb,
legjellemzőbb szegedi
városkép.
Schulek Frigyes terveit
módosítva *Foerk Ernő*
tervezte.

Dom.

The most significant
landmark of Szeged:
The Votive Church.

Eglise votive.

Nyaranta a Dóm tér a szabad-
téri játékoknak ad hangulatos
színhelyet. A képeken Szörényi
Levente, Bródy János és Szent-
mihályi Szabó Péter *A kiátkozott*
című musicaljének jelenetét
látjuk (1997. augusztus 21.).

Freilichtspiele am Domplatz.

Open Air Festival in Dóm
Square.

Chaque été, la place Dóm est le
lieu du Festival de plein air.
L'opéra-rock « L'Excommunié »
de Szörényi–Bródy–
Szentmihályi Szabó
(le 21 août 1997).

A dóm főbejáratának márvány díszmennyezetét *(baldachinját)* tartó oszlopok alján két oroszlán őrzi karmai közt a Szent Koronát és a pápai tiarát. Az oroszlán az erő, a hatalom jelképe.

Löwen am Hauptportal des Doms.

At the footstalls of the columns holding the marble baldachin of the Church's entrance two lions are holding the Holy Crown of Hungary and the Pope's tiara.

Au pied des colonnes du baldaquin en marbre du portail du Dóm, deux lions gardent la couronne sainte de la Hongrie et la tiare du pape. Le lion est le symbole de la force et du pouvoir.

A főoltárt is fehér márvány baldachin födi; mennyezetét velenceikék mozaikok díszítik.

Marmorbaldachin des Hauptaltars.

The baldachin of the main altar is made of white marble, the ceiling is of Venecian blue mosaics.

Maître-autel couvert d'un baldaquin en marbre blanc décoré avec des mosaïques bleues de Venise.

A dóm északi oldala.

Nordseite des Doms.

The northern side of the Square.

Côté nord du Dóm.

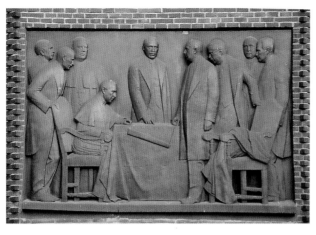

Egyetemalapítók. Dombormű az egyetemi épületrésznek az Aradi vértanúk tere felőli falán *(Szentgyörgyi István, 1930).*

Die Gründer der Universität (Relief am Platz der Arader Blutzeugen).

Founders of the university, relief on the side of the university building in Aradi vértanúk Square.

Relief des fondateurs de l'Université, place Aradi vértanúk.

Klebelsberg Kunó kultuszminiszter ötletéből jött létre a *szegedi Panteon,* a Nemzeti Emlékcsarnok *(1930).*

Das Szegediner »Pantheon«.

Szeged Pantheon under the arcades of the Dóm Square building.

Panthéon National de Szeged fondé d'après l'idée du ministre des Cultes, Kunó Klebelsberg.

Dóm tér. Szentháromság-szobor. Köllő Miklós neo-barokk alkotását a régi Dömötör-templom előtt 1896-ban szentelte föl Dessewffy Sándor csanádi püspök. Eredetije a Fogadalmi Templom altemplomában látható; Bánvölgyi László készítette másolata 2000-ben került a helyére.

Dreiheiligkeitssäule am Domplatz.

Dóm Square. Holy Trinity Statue – by Köllő Miklós – in neo-Baroque style. In times past it stood in front of the old Dömötör Tower. It got to this place in 1940.

Place du Dôme. La statue de la sainte Trinité est l'œuvre de Miklós Köllő (consécration par l'évêque Sándor Dessewffy en 1896).

A Dóm tér déli oldalán látható és hallható zenélő órát *Csúry Ferenc* szegedi órásmester készítette *(1935)*. A *Rerrich Béla* tervezte számlap körüli nyílásokon minden órában figurák jelennek meg. A *Kulai József* faragta alakok modellja: Klebelsberg Kunó (rektor); Brassai Sámuel, Kolosváry Bálint, Tóth Lajos, Herman Ottó (dékánok); Dugonics András, Mikes Kelemen, Petőfi Sándor, Szemere Bertalan, Vasvári Pál, Barabás Miklós, Bercsényi Miklós, Bessenyei György, Csokonai Vitéz Mihály, Kazinczy Ferenc, Tinódi Sebestyén, Vedres István (diákok). A pedellus mintája András János.

Glockenspiel an der Südseite des Domplatzes.

Chiming clock at Dóm Square. Every hour figures appear around the clock. They represent the rector, the deans and the students of the university.

Horloge musicale. Des figurines dont les modèles sont le recteur Kunó Klebelsberg, des doyens, des étudiants devenus célèbres, sortent des ouvertures autour du cadran toutes les heures.

A 18. században Szent Dömötör tiszteletére emelt barokk palánki (belvárosi) plébániatemplom 1910 körül. Tornyában rejtőzött még az Árpád-kori Dömötör-torony.

St. Dömötör Kirche vor dem Abriß.

Parish-church in Baroque style from the 18th century consecrated to St. Demetrius. Inside: the Dömötör Tower from the age of the Árpád Kings.

Eglise paroissiale de style baroque de Palánk construite pour rendre hommage à Saint Dömötör vers 1910. La tour Dömötör datant du XIIIᵉ siècle se trouve encore dans la tour de l'église.

Szeged és a Dél-Alföld legrégibb, a román stílusból a gótikába átmenetet képviselő műemléke, a Dömötör-torony. Alapfala 11. századi; alsó, négyszögletes része 12. századi; felső, nyolcszögletes része a 13. századból való. 1925-ben hámozták ki a Dömötör-templom tornyából.

Der Dömötör-Turm im gotischen Stil, das älteste Baudenkmal Szegeds und der Tiefebene.

The oldest monument of the region, the Dömötör Tower represents a transition from Romanesque into Gothic style.

Tour Dömötör de styles roman et gothique, le monument le plus ancien de la ville. En 1925 elle a été découverte dans l'Eglise Saint Dömötör.

Aba-Novák Vilmosnak a Hősök kapuját díszítő 250 m² fölületű freskója
az első világháború 12 000 szegedi hősi halottjának emlékét őrzi.

Das Fresko von Aba-Novák Vilmos im Gewölbe des Heldentors (Hősök kapuja)
ist ein Denkmal der 12 000 Szegeder Toten des Ersten Weltkriegs.

Hero's Gate with Aba-Novák Vilmos's fresco. It is cherishing the memory of the
12 000 soldiers of Szeged war dead of the First World War.

La fresque de Vilmos Aba-Novák (250 mètres carrés sur la Porte des Héros) garde
le souvenir des 12 mille soldats de Szeged, tués pendant la première guerre mondiale.

II. Rákóczi Ferenc lovas szobra.
Vastagh György alkotása (1912).
Talpazatán 1703-i
kiáltványának sorai:
*Kiújulnak a nemes magyar
nemzet sebei...*

Reiterstandbild Rakóczi II.

The equestrian Statue
of Ferenc Rákóczi II.

Statue de Ferenc II Rákóczi.

A Juhász Gyula Tanárképző Főiskola.
A Szegedi Tudományegyetem része.
Boldogasszony sugárút 6.

Die Pädagogische Hochschule Gyula Juhász.

Juhász Gyula Teacher Training College.

Faculté Pédagogique Supérieure « Gyula Juhász ».

A szerbtemplom szentélyét
a hajójától elválasztó,
szentképekkel díszített
vendégfal (ikonosztázion)
az ország egyik
legszebb ilyen alkotása
(Jovan Popović, 1761).

Ikonostase in der
Serbischen Kirche.

Iconostasis separating the
sanctuary from the nave.

Iconostase séparant
le choeur et la nef
dans l'Eglise serbe.

Somogyi u. 7. A Szegedi Akadémiai Bizottság székháza. Csiszár János építtette Árleth Ferenccel 1866–67-ben, klasszicista stílusban. Első bérlője után Wagner Szálló volt a neve. 1878-ban az új bérlők, Juranovics Ferenc és Sonnleitner Ferenc Hungária névvel nyitották meg. Ekkor festette a lépcsőházi mennyezetnek a névadót jelképező seccóját Nagy Sándor. 1967-ben lemeszelték, de az épület fölújításakor, 1993-ban Novák András újrafestette.

Sitz des Szegeder Akademischen Ausschusses.

House of the regional Committee of the Hungarian Academy of Sciences. It was built in classical style in 1866–67.

Siège de la Commission Académique de Szeged. Construit en style classiciste en 1866–67 par János Csiszár et Ferenc Ádám, l'Hôtel Wagner devint bientôt Hôtel Hungária: la peinture murale de Sándor Nagy a été crépie à la chaux en 1967, mais restaurée par András Novák en 1993.

A Szent Miklósnak szentelt
barokk görögkeleti szerbtemplom
(Jovan Dobic, 1773–1778).

Griechisch-orthodoxe Serbische Kirche St. Nikolaus.

Serbian Orthodox Church
in Baroque Style consecrated to St Nicolaus.

Eglise serbe orthodoxe de style baroque
dédiée à Saint Nicolas.

A Fekete Ház, amely most barnára van festve (Somogyi u. 13. — *Gerster Károly* tervei szerint *Kováts István* építette, *1857*). Nevét korábbi sötét vakolatáról kapta. Neogótikus műemlék; itt született az építtető Mayer Ferdinánd unokája, Endre Béla, a hódmezővásárhelyi festészet jeles képviselője. A múzeum várostörténeti gyűjteménye kapott benne otthont

Das »Schwarze Haus« im Stil der Neogotik.

'Black House'. Monument in neo-Gothic style.

« Maison Noire » de style néo-gothique

Fali gázlámpatartó a Fekete Házon.
A 19. század második felében használatos lámpa ma gyártott utánzata villanyvilágítással.

Wandlaterne am »Schwarzen Haus«. (Am Ende des 19. Jahr-hunderts gab es vielerlei solche damals mit Gas betriebene Wandlaternen.)

At the end of the last century
several kinds of gas powered lamp brackets were in use. There is a modern (electric) version on 'Black House'.

Variante d'aujourd'hui des patères de la fin des années 1800 (« Maison Noire »).

Esti fényben a Somogyi-könyvtár
(Dóm tér 1–4.) olvasótermei.

Lesesäle der Somogyi Bibliothek.

Evening lights in Somogyi Library.

Salles de lecture illuminées
de la Bibliothèque Somogyi.

Híd u. 6. Schlauch Károly és neje, Ottovay Katalin
rendelésére Halmai Andor tervezte a Víz utáni
eklektika szellemében. 1883-ban már állott;
földszintjén gyógyszertár és más üzletek nyíltak.
A díszesen kiképzett épület érdekessége
a sarki timpanon: vörös alapon aranyos
meanderszalag és növényi ornamentika borítja.

Das Schlauch-Haus im eklektischen Stil.

Building in Eclectic style. Its curiosity is
a decorative tympanum: golden band on
red base and plant ornaments.

Faits sur commande de Károly Schlauch et son épouse
Katalin Ottovay, les projets de Andor Halmai reflètent
le goût de l'éclectisme (1883). Au rez-de-chaussée
il y avait une pharmacie et quelques petits magasins.
La curiosité de ce bel immeuble,
c'est le tympan rouge orné de méandres dorés.

Juhász Gyula szobra a
Roosevelt tér déli felén
(Segesdi György, 1957).

Juhász-Gyula-Statue auf
dem Roosevelt-Platz.

Statue of Juhász Gyula in
Roosevelt Square.

Statue du poète Gyula
Juhász, place Roosevelt.

Te vagy szívemnek legrégibb szerelme,
Szép, szőke tündér, édesbús Tiszánk,
Hányszor állottam partodnál énekelve,
Míg benned ringott a magyar világ...

A Tiszához

Tömörkény u. 1. A Tömörkény István Gimnázium és
Művészeti Szakközépiskola épülete Baumgarten Sándor
tervei alapján 1903-ban épült föl. Piros iskolának hívták;
az első világháború alatt kórház volt, és szemben lévő
lakásának ablakából Tömörkény István figyelte
a sebesülteket és látogatóikat...

Das Tömörkény-István-Gymnasium und
Fachmittelschule für Kunst wurde nach den Plänen von
Sándor Baumgarten im Jahre 1903 gebaut. Im Volksmund
wurde das Gebäude „Rote Schule" genannt. Das Gebäude
diente während des Zweiten Weltkriegs als Lazarett.

Tömörkény István Grammar and Art School.
It was called „Red School". During the First World War it
functioned as a hospital.

Lycée et École des Beaux-Arts « István Tömörkény » .
Projets de Sándor Baumgarten (1903).
L' « école rouge » servait d'hôpital pendant
la première guerre mondiale.

*Kalapos lány a padon (Lapis András,
1992).* A Tisza-parton, a klinikakert
mellett látható.

Mädchen mit Hut (am Theißufer).

Girl with a hat on a bench
on the river bank near the clinics.

« Fille au chapeau » au bord de la Tisza.

Móra Ferenc Múzeum (Roosevelt tér 1–3. —
Steinhardt Antal és Lang Adolf, 1896).
A millennium alkalmából a Somogyi-könyvtár
számára épült, és hagyományosan
Közművelődési palotának nevezték.
A könyvtár 1984-ben kiköltözött Dóm téri új
otthonába. Ez a Fehér Ház.

Das Móra Ferenc Museum.

The Móra Ferenc Museum, traditionally
named the Palace of Public Education.

Musée Móra Ferenc nommé Palais « Pour la
culture » dite la « Maison Blanche ».

A Közművelődési palota kupolacsarnoka
számos kiállításnak ad helyet.

Kuppelsaal des Museums.

The vaulted hall of the Palace of Public
Education houses various exhibitions.

Salle de la coupole du
Palais « Pour la culture »,
lieu de nombreuses expositions.

A Közművelődési palota a kivilágított szökőkúttal.

Beleuchteter Springbrunnen vor dem Museum.

The Palace of Public Education
with a lit fountain in front.

Musée avec la fontaine illuminée.

Szeged legbájosabb szobra: Ferenc József feleségét,
az ifjú Erzsébet királynét Ligeti Miklós faragta
másfélszeres életnagyságban carrarai márványba (1907).
1945 után eltávolították, a 60-as évektől a vármaradvány
udvarán árválkodott; 1997-ben került mai, méltó helyére.

Die Statue der Königin Elisabeth.

The statue of Queen Elisabeth of
the Austro-Hungarian Monarchy.

Statue de la reine Elisabeth.

A Várkert a díszkúttal
(Tóth Sándor, 2001).

Zierbrunnen im Burggarten.

Well in the park of the fortress.

Fontaine dans le parc de la forteresse.

Lebontás *(1881)* előtt a várudvar; háttérben
a régi városháza tornya.

Burghof vor dem Abriß der Burg.

The courtyard of the fortress before its demolition *(1881),*
in the background the tower of the old City Hall.

Forteresse avant la démolition *(1881)* et
la tour de l'ancien Hôtel de Ville.

Lebontás *(1881)* előtt a vár délkeleti körbástyája
(rondella), a vízi bástya. Az új partfal építésekor
(1979) helyreállították. Burkolatán összevethető
a mai belváros és a régi vár alaprajza.

Rondell der Burg vor dem Abriß.

The south-east bastion of the fortress
before its demolition *(1881).*

Bastion circulaire (Rondella)
avant la démolition *(1881).*

Madártávlatból a híd, a Fehér Ház, a színház...

Brücke, »Weißes Haus« und Theater aus der Vogelperspektive.

From a bird's eye view: the bridge, the museum and the theatre.

Vue d'avion du pont, de la « Maison Blanche » et du Théâtre ...

A fölújított színház belseje.

Das Innere des renovierten Theaters.

Inside Szeged's National Theatre.

Intérieur du Théâtre.

Szegedi Nemzeti Színház (Deák Ferenc u. 12. — *Ferdinand Fellner és Hermann Helmer, 1883*). Városi színháznak épült; 1945-től Nemzeti Színház. 1885-ben leégett, 1886-ban nyitották meg másodszor. 1978-tól fölújították; 1986-ban nyitották meg harmadszor.

Nationaltheater.

Szeged's National Theatre.

Théâtre National de Szeged.

A Közművelődési palota előtt és a Várkertben látható *Kőszeg* típusú öntöttvas lámpaoszlopok és *Kecskemét* típusú lámpatestek.

Gußeiserne Laternenpfähle. Sie wurden zum hundertjährigen Bestehen der Gemeinnützigen Szegediner Stromversorgungsgesellschaft aufgestellt.

Cast iron lamp-posts and lamps in Stefánia reminding us of the year 1955 when electricity supply was a hundred years old in Szeged.

Colonne de lampe en fer. L'année 1955 fut le centenaire de l'alimentation de l'énergie électrique à Szeged.

Baloldalt a színház, jobboldalt a Kass Szálló a Fogadalmi templom tornyából.

Theater und Hotel Kass aus dem Turm des Domes.

View of the theatre (left) and the Hotel Kass (right) from the tower of the Votive Church.

Théâtre à gauche, l'Hôtel Kass à droite, vus de la tour de l'Eglise votive.

A Tisza Szálló
(Wesselényi u. 4. — *Jiraszek Nándor és Krausz Lipót, 1886*).
Irodalmi, történelmi és művészeti emlékhely. Számos író szállt meg benne, szerepelt nagytermében. Hangversenyezett benne kétszer is Pablo Casals és többször Dohnányi Ernő, Bartók Béla.

Hotel »Tisza«. Wichtige literarische, historische Gedenkstätte.

The Hotel Tisza. An important literary, historic and artistic memorial place.

Hôtel Tisza. Lieu littéraire, historique et artistique.

A Kass Szálló ma; kívül már helyre van állítva, belül még gazdára vár.

Hotel Kass heute; von außen schon restauriert.

The Hotel Kass today, restored from the outside and empty inside.

Hôtel Kass aujourd'hui.

Dankó Pista szobra a Kass előtt. *(Margó Ede, 1912)* Eredetileg a Várkertben Erzsébet királyné szobra közelében állt. *Tessék elhinni, hogy ma ez a cigányszobor a legnyugat-európaibb dolog Magyarországon.* (Móra Ferenc, 1912)

Pista-Dankó-Statue vor dem Kass.

The statue of the Gipsy musician Dankó Pista.

Statue de Dankó Pista devant l'Hôtel Kass.

A Kass Szálló (Dózsa u. 1–3. — *Steinhardt Antal, 1897*). Amikor még villamos járt arra, s Dankó Pista a Várkertben Erzsébet királynőnek muzsikált...

Hotel Kass.

The Hotel Kass.

Hôtel Kass.

Széchenyi tér.
Széchenyi-Platz.
Széchenyi Square.
Place Széchenyi.

Széchenyi István márványszobra
(Széchenyi tér. — *Stróbl Alajos, 1912*).

Marmorstatue Széchenyis.

The marble statue of Széchenyi István.

Statue de marbre de l'homme d'état István Széchenyi.

Vásárhelyi Pál bronzszobra (Széchenyi tér. — *Mátrai Lajos, 1905*. Mellékalakjait *Pásztor János* készítette.) Talapzatába illesztették az 1970. évi árvíz legmagasabb szintjét jelző márványtáblát: június 2-án 961 cm-rel tetőzött a Tisza.

Bronzestatue von Vásárhelyi Pál.

The bronze statue of Vásárhelyi Pál. On its pedestal there is a marble plaque indicating the highest point of the flood in 1970.

Statue de bronze de Pál Vásárhelyi avec un tableau de marbre sur le sócle indiquant le niveau le plus haut de l'inondation : le 2 juin 1970, la Tisza a atteint la hauteur de 961 cm.

Szent István és Gizella szobra (Széchenyi tér. — *Kligl Sándor, 1996*).

St. Stephan und Gisela Denkmal.

The statue of St. Stephen and Gizella.

Statues du roi Saint Etienne et de la reine Gisèle.

Klebelsberg Kunó szobra a Széchenyi téren (Melocco Miklós alkotása, 2000).

Die Statue des berühmten Kultusministers Kunó Klebelsberg auf dem Széchenyi Platz.

The statue of Klebelsberg Kunó in Széchenyi Square (Melocco Miklós, 2000).

Place Széchenyi: Kunó Klebelsberg, sculpture de Miklós Melocco, 2000.

A romboló és az áldást hozó Tisza jelképes szobrai (Széchenyi tér. — *Pásztor János, 1930*). Az eredetileg Tihanyba szánt és itt csak 1934-ben elhelyezett díszkutak figuráinak ikertestvérei Székesfehérváron láthatók.

Denkmal der segenbringenden und der verderbenbringenden Theiß.

Statues symbolizing the Bless-bestowing and Destructing River.

Statues de la Tisza destructrice et de la Tisza bienfaisante.

Víz alatt a Széchenyi tér.
Der Széchenyi-Platz unter Wasser.
Széchenyi Square under water.
Place Széchenyi inondée.

Szeged – 1879

A Széchenyi tér régi vaskorlátját lebontották; ezt a darabot nem lehetett, mert a platánfa törzse körülnőtte.

Am Széchenyi-Platz. Naturplastik.

The old iron fence of Széchenyi Square was demolished, except for this part.

Les anciennes barres de fer de la place Széchenyi ont été démolies à l'exception de celle-ci.

Nyugdíjasok a Széchenyi téri padokon. 1945 előtt fizetni kellett érte! A pénzbeszedőt a diákhumor *Himnusz bácsi-nak* nevezte: amikor jött, mindenki fölállt...

Rentner am Széchenyi-Platz.

Pensioners sitting on the benches of Széchenyi Square.

Retraités. Jusqu'en 1945 on devait payer pour les bancs de la place Széchenyi.

Nosztalgiavillamos a Széchenyi téren a főposta előtt.

Nostalgiestraßenbahn am Széchenyi-Platz.

Electric tram of the early days in Széchenyi Square.

« Tram de la nostalgie », la place Széchenyi.

A városháza harangja régen tüzet jelzett; 1879 után a Víz évfordulóin, március 12-én éjjel órákig zúgott.

Glocke im Rathausturm.

The bell of the City Hall signalled fire in the early days; on each anniversary of the Flood of 1879 it was ringing all night.

Autrefois la clôche de l'Hôtel de Ville annonçait les incendies. Après 1879, à chaque commémoration de l'Eau, le 12 mars, la clôche sonnait pendant des heures la nuit.

A régi városháza (Széchenyi tér. — *Vedres István, 1805*). Az ugyanitt 1729-ben épült tanácsháza újjépítésének és bővítésének terve 1786-ban született. Schwörtz János építőmester 1799-ben látott munkához. 1800-ban már fölavatták az új városházát, de az oldalszárnyak, a Fekete Sas utcai homlokzat fölhúzása és kiképzése még éveken át tartott. A városházon alkalmazott torony régi hazai hagyományokra nyúlik vissza. Kialakulását tűzvédelmi szerepe is magyarázza.

Das alte Rathaus.

The old City Hall.

Ancien Hôtel de Ville.

A mai városháza (Széchenyi tér 10. —
Lechner Ödön és Pártos Gyula, 1883).
Gyönyörű barokk délibáb
az alföldi tenger pusztaságon
(Juhász Gyula).
Az építészet egyik szerény világremeke
(Balázs Béla).
S hányszor képzeltem,
hogy a kecses toronya felhők előtt
nesztelen táncot jár!
(Babits Mihály).

Das heutige Rathaus.

The City Hall today.

Hôtel de Ville aujourd'hui.

41

A városháza közgyűlési terme (díszterme). A falakon nagyméretű képen, egész alakos ábrázolásban Ferenc József és Erzsébet királyné *(Vastagh György képei, 1885)*, valamint Tisza Kálmán és Tisza Lajos *(Benczúr Gyula, 1885)* láthatók. Irodalmi emlékhely: itt tartotta havi fölolvasóüléseit 1892–1948 közt a Dugonics Társaság. A szegedi klasszikusokon kívül szerepelt asztalánál a magyar irodalom számos jelese Mikszáth Kálmántól Ady Endrén át Radnóti Miklósig.

Versammlungssaal im Rathaus.

Reception chamber in the City Hall. On the wall paintings of Francis Joseph and Queen Elisabeth, Tisza Kálmán and Tisza Lajos.

Salle d'honneur de l'Hôtel de Ville.

A Sóhajok hídja köti össze a városházát a Bérházzal (Széchenyi tér 11. — *Wegman Gyula és Schener József Adolf, 1873*). A Bérház nevében őrzi elsőségét: ez volt az első városi bérháznak épült ház, de a Víz (1879) óta szintén a polgármesteri hivatal irodái működnek benne. Ferenc József az újjáépítést záró királynapok alkalmával itt szállt meg, a folyosóhídon (1883) ment át a városházára.
Ott előtted a kettős városháza,
sóhajok hídjával és egy kis karcsú toronnyal...
(Babits Mihály, 1909)

»Seufzer-Brücke«.

Bridge of Sighs connecting the City Hall and the Lodging-House.

« Pont des soupirs » relie l'Hôtel de Ville au premier immeuble de la ville.

Széchenyi tér 9. Az 1840-es években Luca széke módjára, klasszicista stílusban épült Zsótér-ház építészeti és történelmi nevezetességű. 1849-ben kórház és kaszárnya volt benne; itt működött a bankóprés. Zsótér Andor asztalánál sok jeles közéleti férfi ült. 1879-ben ablakából nézte Mikszáth Kálmán a térre betörő árvizet. Földszinti mozi-termében méltatta 1917-ben Ady Endre Tömörkény írói nagyságát. 1918 végén itt mutatkozott be Kassák Lajos és folyóirata, a Ma.

Das Zsótér-Haus am Széchenyi-Platz ist von geschichtlicher und literarischer Bedeutung.

Zsótér House in neo-Classic style. In 1849 it functioned as a hospital and as a barrack. The mint worked here as well.

La réputation de la maison Zsótér est surtout d'ordre historique: en 1948 cette maison servait de caserne, d'hôpital et de presse de billets de banque. En 1879, l'écrivain Mikszáth habitait là au moment de l'inondation; en 1917, le poète Ady est venu dans la salle de cinéma pour une conférence en l'honneur de son confrère Tömörkény; en 1918, c'est ici que Kassák présenta sa revue littéraire intitulée « Ma ».

Takaréktár u. 8. – Horváth Mihály u. 9. Az újabb népnyelv vasalóháznak nevezte el sajátságos sarki helyzete alapján. 1913-ban épült föl Baumhorn Lipót tervei szerint a kor szecessziós stílusában. A földszintjén működő gyógyszertár belső berendezése is remek.

Wegen seinem eigenartigen Grundriss vom Volksmund „vasalóház", „Bügeleisenhaus" genannt. Im Sezessionsstil seiner Zeit wurde das Haus im Jahre 1913 gebaut.

The vernacular called it „Vasalóház" (Ironing-House) considering its corner position. It's in Art-Nouveau style.

Projets de Lipót Baumhorn (1913), style art nouveau. Au rez-de-chaussée, magnifique ameublement dans la pharmacie.

A Magyar Államvasutak Rt. területi igazgatósága
(Tisza Lajos körút 28. — *Pfaff Ferenc, 1894*).
Ebben volt hazánkban először geotermikus fűtés:
a kép előterében látható Anna-kút hévizét
ide is bevezették.

Bezirksdirektion der Ungarischen Staatsbahn.

The regional directorate of the
Hungarian State Railways.

Direction des Chemins de fer hongrois.

Az Anna-kutat 1982 óta Csáky József
Táncoslány című szobra *(1959)* díszíti.
A 48 fokos gyógyvizet sokan itt melegen
isszák, sokan edényenként hazaviszik,
és hűtve fogyasztják.

Anna-Brunnen.

Anna-spring with the statue, 'Dancing Girl'.

Fontaine-Anna supportant la « Danseuse »
de József Csáky. La température de son eau
thermale est de 48 degré.

A Gróf-palota (Tisza Lajos körút
18–20. — *Raichle J. Ferenc, 1913*).
Szintén a magyar szecesszió jel-
legzetes alkotása.

Der Gróf-Palast – Jugendstil.

Gróf Palace – in Art Nouveau style.

Palais Gróf de style Art Nouveau.

A városi gőzfürdő (Tisza Lajos körút 26. — *Steinhardt Antal és Lang Adolf, 1896*).
A Zsigmondy Béla fúrta első artézi kút (1887) vizére telepítették. Később az Anna-
kút (1927) hévizét is bevezették. *Az árvíz utáni újjáépítés [...] Firenzét egy főpostá-
val, Amszterdamot egy államvasúti üzletvezetőséggel, Tripoliszt egy gőzfürdővel,
Párizst a régi közúti híddal, Athént egy múzeummal, Monte Carlót pedig a Kass-
féle Vigadóval telepítette a Tisza partjára* (Sőtér István).

Städtisches Dampfbad.

Szeged's Turkish bath.

Bains thermaux municipaux.

Kilátás a víztoronyra a Tisza Lajos körút 33. sz. ház színes üvegablakaiból. A szecessziós stílusú víztorony (Szent István tér. — *Zielinski Szilárd, 1904*) korának legnagyobb, hazánk első magas monolit vasbeton víztornya: 55 m magas, 12 emeletes, és ezer köbméter víz befogadására alkalmas.

Ausblick auf den Wasserturm (Jugendstil).

View of the water tower (Art Nouveau style).

Château d'eau de style Art Nouveau vu depuis l'un des vitraux colorés d'une maison du boulevard Tisza Lajos. La plus grande tour en béton de fer de son temps. Il est haut de 55 m.

Rozália-kápolna (Lechner tér). A pestis elleni védekezésül, fogadalomból emelték 1739-ben a Dömötör-templom szomszédságában. A Víz után (1883) Nendtvich Gusztáv tervei szerint újjáépítették, majd a Dóm tér kialakításakor lebontották (1928), és kétszeresére megnagyobbítva mai helyén újból fölépítették. 1922 óta a görög katolikusoké.

Rozália-Kapelle.

Rozália Chapel in Lechner Square.

Chapelle Rosalie.

Lechner tér 2/B. Szígyártó-ház. Szígyártó Albert fölső-ipariskolai tanár, Móra Ferenc baráti körének tagja, kartársával, a költőként is ismert mérnökkel, Kótay Pállal terveztette családi házát a hajdani Eugénius-árok föltöltött területére.
Mindkettejük művészi igényességét mutatja a háznak négyzetekbe foglalt, váltakozó irányba ívelő pávatollmotívumokból álló mázas szalagdísze.

Haus Szígyártó.

Szígyártó House with beautiful peacock feather ornaments.

Maison Szígyártó, construite sur le comblement des fossés Eugène. Projets de Albert Szígyártó, professeur du lycée technique, et de Pál Kótay, ingénieur et poète, tous deux amis de Ferenc Móra. Leur goût pour les réalisations artistiques se laissait manifester par les rubans vernis imitant les plumes du paon.

A zsinagóga (a Gutenberg, Hajnóczy és Jósika utca között — *Baumhorn Lipót, 1903*) kupolája. Tervezőjének 24 zsinagógája közül ez a legsikerültebb: a szecesszió legmonumentálisabb szegedi alkotása.

Die Kuppel der Synagoge.

The dome of the Synagogue. The most significant monument of Art Nouveau in Szeged.

Coupole de la Synagogue de style Art Nouveau.

Az üvegablalakok *Róth Miksa* alkotásai.

Glasfenster der Synagoge.

Window panes.

Vitraux.

A zsinagóga közelről.

Synagoge.

A close up of the
Synagoge.

Synagoge, de plus près.

Hajnóczy u. 12. Régi zsinagóga. Lipovszky Henrik és József tervezte és építette, Schwab Löw
(ahogy későbbi veje, Löw Lipót nevezte: Schwab Oroszlán!) pesti főrabbi szentelte föl 1843-ban.
Ehhez a templomhoz fűződik a jeles főrabbinak, Löw Lipótnak működése 1850-től haláláig, 1875-ig.

Alte Synagoge. Eingeweiht im Jahre 1843.

The Dome of the Old Synagogue. It was constructed by Schwab Löw,a Pest Chief
Rabbi. Löw Lipót , the famous Chief Rabbi, worked here between 1850 and 1875.

Vieille synagogue. Projets et réalisation de Henrik et József Lipovszky. Consécration en 1843
par Schwab Löw, grand rabbin de Pest. Lipót Löw, célèbre grand rabbin y exerça ses fonctions
de 1850 à 1875, année de sa mort.

Hajnóczy u. 30. Ma a Komfort Szolgáltató
Szövetkezet üvegező, tükörkészítő és csiszoló
részlege dolgozik e házban. Egykori tulajdonosa,
Singer Ármin már az 1911. évi címtárban szerepel.

Nachfolger des berühmten Glasermeisters Ármin
Singer. Verglasung und Spiegelbelegung.

Komfort Co-operative Service
(glazing, mirror production and grinding).

L'ancien propriétaire de cette vitrerie,
Ármin Singer, figure dans l'annuaire de 1911 déjà.

Tisza Lajos körút 58. Kálmán-palota.
Kálmán József terménykereskedő és neje,
Lőwy Regina építtette Ligeti Béla tervei szerint
1905 és 1907 között. 1998-ban az igényesebb
részletek híjával állították helyre a korábbi
fölújításkor leszedett homlokzati ornamentikáját.

Kálmán-Palast.

Kálmán Palace.
Kálmán József – a trader – had it built
between 1905 and 1907.

Maison Kálmán, construit par Béla Ligeti
entre 1905 et 1907, sur commande
de József Kálmán, commerçant de
produits agricoles et son épouse Regina Lőwy.
Façade en partie restaurée en 1998.

Reök-palota (Tisza Lajos körút 56. — *Magyar Ede, 1907*).
A magyar szecesszió (a külföldi szakirodalomban Hungarian Jugendstil) kiváló alkotása.

Reök-Palast – Jugendstil.

Reök Palace, an outstanding example of Hungarian Art Nouveau.

Palais Reök de style Art Nouveau hongrois.

A Reök-palota lépcsőháza.

Treppenhaus im Reök-Palast.

Staircase of Reök Palace.

Rampes de l'escalier ornées de fleurs dans le Palais Reök.

Huszárszobor a Tisza Lajos körút és a Kölcsey utca sarkán. A szegedi 3. honvéd huszárezred és a 3. népfölkelő huszárosztály emlékére készült *(Gách István, 1943)*. Talapzatán Turáni Kovács Imre domborműve rohamozó huszárokat ábrázol.

Husarendenkmal an der Ecke Tisza-Lajos-Ring – Kölcseystraße.

Hussar on a horseback on the corner of Tisza Lajos Boulevard and Kölcsey Street.

Statue du hussard au coin du boulevard Tisza Lajos et de la rue Kölcsey.

A Szegedi Tudományegyetem központi épülete (Dugonics tér 13.).
Főreáliskolának (ahogy akkor mondták: *tanodának*) készült; *Skalniczky Antal* tervei alapján
Arleth Ferenc építette *(1873)*. 1883-ban itt nyílt meg a Somogyi-könyvtár, 1894-ben az ítélőtábla költözött
ide, 1921-ben pedig a Kolozsvárról elüldözött Ferenc József Tudományegyetem.

Zentralgebäude der Universität Szeged.

The central building of University Szeged.

Bâtiment central de l'Université Szeged.

József Attila szobra *(Varga Imre, 1964)*. Az egyetem 1963–99
közt viselte az 1925-ben innen „eltanácsolt" költő nevét.

Én egész népemet fogom
nem középiskolás fokon
taní-
tani!   (Születésnapomra)

József-Attila-Statue. Die Universität trug
zwischen 1963 und 1999 den Namen des Dichters.

Statue of József Attila. The poet was expelled from the university in 1925.

atue d'Attila József. L'Université portait le nom du poète entre 1963 et 1999.

Ungár-Mayer-ház (Kárász u. 16. —
Magyar Ede, 1911). Szintén a szegedi
szecesszió jellegzetes alkotása.
Az udvart és a lépcsőházat remek
kovácsoltvas korlátok díszítik.

Ungár-Mayer-Haus – ebenfalls ein
Vertreter des Jugendstils.

Ungár-Mayer House, another example
of Art Nouveau buildings in Szeged.
The courtyard and the staircase are
decorated with magnificent
wrought-iron handrails.

Maison Ungár-Mayer de style Art
Nouveau. Dans l'escalier, de
magnifiques garde-corps
en fer forgé.

Eisenstädter-ház
(Kárász u. 5. — *Hoffer Károly, 1869*).

Das Eisenstädter-Haus aus dem Jahre 1869.

Eisenstädter House from 1869.

Maison Eisenstädter de style romantique.

Klauzál tér.

Klauzál-Platz.

Klauzál Square.

Place Klauzál.

Utcai zene című szobor-
csoport, részlet
(Kárász utca —
Kligl Sándor, 2001).

Kárászstraße.

Kárász street.

Rue Kárász.

A Kárász utca
madártávlatból,
a Széchenyi tér
felől nézve.

Kárászstraße von oben
(vom Széchenyi Platz).

Kárász street from
a bird's eye view,
as seen from
Széchenyi Square.

Rue Kárász vue d'avion,
de la Place Széchenyi.

Kossuth-szobor (Klauzál tér. — *Róna József, 1902*).
Talapzatára szegedi toborzóbeszédének sorait vésték:
Szegednek népe, nemzetem büszkesége.

Kossuth Denkmal.

The statue of Kossuth Lajos.

Statue de l'homme d'état Lajos Kossuth.

Alsóváros

Szeged a 15. század elejéig különálló városrészekből állt: a Palánkon kívül Alsó (vagy Al)-Szeged (Alsóváros) és Fölső-Szeged (Felsőváros) külön jogokkal, vásárokkal, bírákkal. Csak a 19. században olvadt össze az addig vízjárta árkokkal, kiöntésekkel, tiszai holt ágakkal szétszabdalt három városrész.

A hagyomány szerint a templom körüli temető őrzi Dózsa György levágott fejét. A közeli Csöpörkéhez (vízállásos mélyedéshez) fűződik a templom kegyképének legendája: itt lökte napvilágra a rejtőzködő képet egy török lovának a lába.

A török hódoltság idején Alsóváros volt Szeged magja, mert a törökök és a részben a török elől, részben a törökkel idevándorolt szerbek a Palánkban laktak. A földművelő és állattenyésztő magyarok a ferencesek kolostora és Havi Boldogasszony temploma körül tömörültek. Itt állott akkoriban a Szentháromság és Szent Ferenc utca kereszteződése táján a városháza is. Alsóváros mezőgazdasági jellege a legutóbbi időkig megmaradt.

A hódoltság alatt a ferencesek tartották a népben a lelket. A több felől sanyargatott lakosság — kérelmeikből kitűnik — elmenekült volna, ha a *barátok* (jellemző e néptől kapott nevük) nem segítenek kereszténynek és magyarnak megmaradnia. Nemcsak lelki támaszt jelentettek, hanem orvosai is voltak a népnek. A paprikát mint malária elleni orvosságot ők honosították meg. A török megtűrte őket, mert a maga derviseinek rokonát látta a kolduló fráterokban.

Alsóváros népfölöslege rajzott ki a 18. és 19. században részben a Temesközbe, részben az alsótanyákra, mindenhová magával víve nemcsak nyelvét és szájhagyományát, hanem termelési kultúráját is. Délre a dohánytermesztést, nyugatra a tanyavilágba, a mai virágzó községekbe a paprika-, zöldség-, szőlő-, gyümölcstermesztésben öröklött készségét. Újszeged és Szőreg máig híres rózsa-, virág- és gyümölcsfa-kertészete is innen sugárzott szét.

Die Unterstadt

Szeged bestand bis zum 15. Jahrhundert aus selbständigen Stadtteilen: Palisaden, Unterstadt und Oberstadt. Erst im 19. Jahrhundert wuchsen die Stadtteile zusammen.

In der Türkenzeit war die Unterstadt der Kern Szegeds. Die Ungarn siedelten um das Franziskanerkloster und um die Liebfrauenkirche herum. Die Franziskaner kümmerten sich nicht nur um die Seelsorge, sondern auch um die ärztliche Versorgung und ermöglichten dadurch dem ungarischen Teil der Bevölkerung das Hierbleiben.

Im 18. Jahrhundert verbreitete sich von hier aus mit dem Bevölkerungsüberschuß nicht nur die Mundart, sondern auch Feld- und Gartenbau in die Umgebung.

The Lower Town

Until the 15th century Szeged consisted of distinct parts: the Palánk, the Upper Town and the Lower Town. The three parts merged into one by the 19th century.

During the Turkish occupation the Lower Town was Szeged's centre because the Turks and the co-migrating Serbians settled down in the Palánk region. The Hungarian population lived around the Franciscan Closter and the Franciscan Church. The agricultural feature of the Lower Town has been preserved till today. Szeged's famous paprika was naturalized here by the Franciscan friars.

La Basse-Ville

Szeged, jusqu'au début du XVᵉ siècle, se composait de différentes parties : Palánk, Alsóváros (la Basse-Ville) et Felsőváros (la Haute-Ville). Ce n'est qu'au XIXᵉ siècle que ces dernières se sont unifiées.

Au temps de la domination turque, Alsóváros était l'assise de Szeged. L'Hôtel Ville d'autrefois a été construit près du carrefour de la rue Szentháromság et de la rue Szent Ferenc.

Pendant l'occupation turque les franciscains étaient non seulement des pasteurs, mais aussi les médecins du peuple. Ce sont eux qui ont adapté le paprika à la région comme médicament contre la malaria.

Au XVIIIᵉ et XIXᵉ siècle, l'excès de population d'Alsóváros a quitté ce quartier en répandant partout non seulement sa langue et ses coutumes, mais aussi sa culture (du tabac, du paprika, des vignes, des fruits et des fleurs).

A fölújított alsóvárosi (ferences) Havi Boldogasszony templom *(1503)*. A Dömötör-torony után Szeged legrégibb műemléke. A késő gótikus templomot a török hódoltság után, a 18. század stílusának megfelelően barokk belső díszítéssel látták el *(1713–1747)*, és barokk toronnyal *(1772)* bővítették.

Die renovierte Liebfrauenkirche im Stil der Spätgotik. Eines der ältesten Baudenkmäler von Szeged.

Franciscan Church in the Lower Town, the second oldest monument of Szeged in late Gothic style and Baroque inner architecture.

Eglise franciscaine Havi Boldogasszony, de style gothique tardif, avec un intérieur et une tour baroques, à Alsóváros.

Árvízi emlékjel az alsóvárosi templom sekrestyéjének ajtaján: *A viz it vot 1879 március 12*.

Erinnerungsmal an der Sakristeitür: Wasserspiegel während des Hochwassers 1879.

Sign marking the level of the Great Flood.

Indication du niveau de l'inondation sur la porte de l'Eglise d'Alsóváros : *L'eau est arrivée jusqu'ici* (1879).

Az alsóvárosi templom díszvilágítása és a környező tér oszlopfejlámpás közvilágítása. Jól mutatja, hogyan lehet a fénnyel művészien „építkezni".

Lichtmaste um die Liebfrauenkirche. Auch mit Licht kann man kunstvoll »bauen«.

Lamp posts around the Franciscan Church.

Sorte de lampadaire dans le parc autour de l'Eglise Havi Boldogasszony.

A főoltár 1713-ban készült; fölújították 1937-ben. A Máriát mint a Napbaöltözött Asszonyt ábrázoló kegyképe (*Auxiliatrix Szegediensis*: Szögedi Segítő) a hasonló, bizonyára elpusztult középkori ábrázolásnak ismeretlen festőtől a 17–18. század fordulóján készült másolata. Mellette magyar szentek (balra Gellért és László, jobbra István és Adalbert). Fölötte Mária betűmonogramja, két oldalán pedig balra Szent Antal és Szent Rókus, jobbra Szent Ferenc és Keresztelő Szent János. Lentebb a két szárnyon balra Szent József, jobbra Szent Imre. A főoltár csúcsán a Szentháromság jelképe, a háromszögbe zárt szem. Ez az *istenszöm* vált népművészeti motívummá az alsóvárosi parasztházak oromzatán.

Hauptaltar der Liebfrauenkirche.

The main altar dates from 1713: Mary 'Our Lady Bathed in Sunshine'.

Maître-autel.

Mária hét örömét ábrázoló freskó a templom jobb oldali kapuja fölött *(Kontuly Béla, 1947)*. Lentről fölfelé a következő jelenetek láthatók: Angyali üdvözlet, Mária látogatása Erzsébetnél, A pásztorok imádása, A háromkirályok látogatása, A gyermek Jézus megtalálása a templomban, Találkozás a föltámadt Krisztussal, Mária mennybevitele. Szemben vele a Mária hét fájdalmát ábrázoló freskó.
Az egyébként kiváló alkotások elütnek a templom hagyományos színvilágától.

Fresko der Sieben Freuden Marias.

Fresco representing Mary's seven joys.

Fresques représentant les sept joies de la Vierge.

Napsugárdíszes ház (Pásztor u. 39.). A kapu melletti oszlopfőn a *szamaras embör.*

Haus mit Sonnenstrahlenschmuck. Der »Mann mit Esel« auf der Säule neben dem Tor.

House with sunray ornament. Man with donkey on the capital of the column next to the gate.

Maison à façade en rayons de soleil. « Homme à l'âne » sur le pilastre à côté de la porte.

Barokk feszület a Vadkerti téren.
(Ismeretlen alkotó műve a 18. század
végéről. 1817-ben átalakították.)
Állítója, Vadkerti József, az alsóvárosi
ispitály (kórház) gondnoka volt.
Róla kapta a kereszt, a keresztről
pedig a tér a nevét.

Barockkreuz am Vadkerti-Platz.

Baroque crucifix in Vadkerti Square.

Crucifix baroque sur la place Vadkerti.

A nagyállomás (Indóház tér. —
Pfaff Ferenc, 1902)

Hauptbahnhof

Railway Station

Gare centrale

Fölsőváros

Alsóváros jámbor város, Fölsőváros kényös város — így a szegedi szólásmondás. A paraszti Alsóvárossal szemben Fölsővárosnak az ipar, a kereskedelem, halászat, vendéglátás adta meg jellegét. Hajósok, hajósgazdák, hajóácsok, halászok, tímárok, molnárok, egyéb vízen járók, még a „homokból élők", a kubikosok is világot láttak, könnyen kerestek, könnyen költekeztek; mulatósabbak, divatozóbbak voltak. *Selymös város* is volt Fölsőváros gúnyneve. A módosakat kiszolgáló csizmadiák, magyarszabók, kékfestők, asztalosok ugyancsak a városrész jellegzetességét növelték. Nem itt született, de itt lett naggyá a szalámigyártás. Egyik összetevője az itteni házi szappangyártás volt.

1355-ben Asszonyfalva néven említi oklevél; Felszeged néven 1405-ben; Felsőszigetként 1431-ben. Valamennyi városrész közt ez lehetett a legrégibb és legjelentősebb. Tarján a honfoglalók egyik törzsére, Tabán a török korra utal. A szegedi papucsot a török hagyta itt.

Hóbiárt basa legendáját a nevét őrző városrész ihlette. A hagyomány szerint török temető volt itt, a mai Hóbiárt basa utca táján.

A Palánk szélén a *kiscërkó* körül görögök és szerbek települtek meg. A mai Bihari, Dankó Pista, Rom[a] utca körül cigányok. A hajóácsok kezére dolgozó kovácsok, muzsikusok lettek; hamarosan csak magyarul tudtak.

Magyarrá lettek a görög eredetű Zsótérok is. A leghíresebbnek, Zsótér Jánosnak a legenda szerint éppen száz hajója járta a Tiszát meg a Dunát gabonával, építőanyaggal. Fia, Zsótér Andor Mikszáthnak szolgált modellul az Amerikát járt Tóth Mihály alakjának megrajzolásában.

Az első világháború után Fölsővároson túl a körtöltésen kívül születtek *a telepek.* Somogyi (ma Petőfi) telep, Aigner (ma Béke) telep mély, vizes telkein kispénzű magyarok kapaszkodtak meg, s mára elfogadható életformát teremtettek maguknak. A második világháború és az 1956-i forradalom után hozták létre a panelokból épült új telepeket: Tarjánt, Fodor-kertet, Új-Rókust. Ezek ma már középnagyságú magyar városra való népességnek adnak otthont. Fejlődésükhöz hozzájárult az 1965-ben lelt algyői olaj- és földgázkincs is.

Die Oberstadt

Gegenüber der bäuerlichen Unterstadt wird die Oberstadt durch Handel und Handwerk, Fischerei und Gastgewerbe charakterisiert. Die Salami-Erzeugung stammt zwar nicht von hier, hier aber wurde sie groß.

Unter allen Stadtteilen dürfte dies der älteste und bedeutendste sein. Der Name *Tarján* erinnert an einen der Stämme aus der Zeit der Landnahme, Tabán an die Türkenzeit.

Am Rand der Palisaden siedelten sich Griechen, Serben und Zigeuner an, die bald nur noch ungarisch sprachen.

Nach dem ersten Weltkrieg entstanden außerhalb des Ringdammes die Somogyi- (heute Petőfi-) und Aigner- (heute Béke-) Siedlung.

Nach dem zweiten Weltkrieg entstanden die Plattenbausiedlungen Tarján, Fodor-Garten und Neu-Rókus, deren Bevölkerungszahl bereits einer mittelgroßen ungarischen Stadt entspricht.

The Upper Town

As opposed to the agricultural Lower Town, the Upper Town used to be characterized by industry, trade, fishing and restaurants. This is where the production of salami started to flourish.

After the First World War beyond the Upper Town more modern housing estates were built especially for the less wealthy citizens. After the Second World War newer estates were added.

La Haute-Ville

Au contraire d'Alsóváros agricole, pour Felsőváros (la Haute-Ville) c'est l'industrie, le commerce, la pêche et l'hôtellerie qui lui ont donné son caractère. C'est là que la fabrication du salami est devenue célèbre. Felsőváros devait être le plus ancien et le plus important des quartiers de Szeged.

Après la première guerre mondiale des HLM ont été construites au-delà de Felsőváros.

L'extraction du pétrole et du gaz naturel en 1965 a aussi contribué au développement de ce quartier.

A fölsővárosi rendház kertje, középen a Mária-oszloppal. Eredetileg *(1728)* a palánki Dömötör-templom előtt állott, a Víz (1879) után helyezték át a Szent György térre, onnan 1951 táján a Gyevi temetőbe száműzték, majd restaurálása után 1996-ban került mai helyére.

Mariensäule im Garten des Ordenshauses.

Garden of the monastery with Virgin Mary's column in the middle.

Jardin du couvent de Felsőváros avec la Colonne de la Vierge au milieu.

Vajk megkeresztelése. Üvegfestmény
a templom mellékoltára fölött *(1905)*.

Die Taufe Vajks (Glasmalerei
über dem Nebenaltar).

Baptizing Vajk.

« Le baptême de Vajk » (le nom païen
du roi István). Peinture sur verre.

A fölsővárosi (minorita) Szent Miklós templom *(1767)* kapuja.
Szent Miklós, Szent Kilián, valamint másik kéztől származó
Szent Ferenc és Szent Bonaventúra domborművei díszítik.
Alkotói, ahogy a templom többi famunkáié is, rendi fráterek
(Stöcherle József, Szerkesz József Bernát és Borsi Simon) voltak.

Tor der Minoritenkirche.

Gate of the Minorite Church.

Porte de l'Eglise Szent Miklós
(Saint Nicolas) de Felsőváros.

A fölsővárosi templom részlete.
Die Kirche in der Oberstadt.
Minorite Church in the Upper Town.
Eglise de Felsőváros.

A templom remekbe készült barokk padjai.
Az 1887. évi tűz után és 1993-ban restaurálták őket.
Alkotói a már fölsorolt szerzetesek.

Kirchengestühl in der Minoritenkirche.

Baroque pews in the church.

Bancs baroques de l'église.

Mindenki söpörjön
a maga háza előtt...
Mézesbolt a nagykörúton
(Berlini körút 5/B).

Honigladen am Berlini Ring.

Honey shop
in the outer boulevard.

Marchand de miel.

Jellegzetes napsugárdíszes
(*istenszemes*) oromzatú
fölsővárosi ház
(Hattyú u. 60.).

Charakteristischer
Sonnenstrahlenschmuck.

Detached house in the
Lower Town with
sunray ornament typical of
the region.

Maison à façade en rayons
de soleil (« à l'oeil de Dieu »)
à Felsőváros.

Régi bolt árnyékban
(Kecskeméti u. 15/A).

Alter Laden im Schatten.

Old shop in the shade.

Ancien magasin à l'ombre.

Rókus

A török hódoltság utáni föllendülés hozta létre a 18. század első felében a Palánk, Alsóváros és Fölsőváros után a negyedik városrészt, Rókust. Vízjárta, mély földje miatt településre kevéssé volt alkalmas. Céhen kívül rekedt mesterek, szatócsok, vásározók, fuvarosok, napszámosok telepedtek meg itt. Nevét a pestis *(gugahalál)* ellen fogadalomból 1739-ben emelt Szent Rókus kápolnáról kapta. Később fatemplomot toldottak hozzá, amelyet a többi szegedi *templompajtának* csúfolt, s így gúnyolta a rókusiakat: *Rókusváros jól csinálja, akolba jár papja, nyája.* Ezzel egyben utaltak a híres rókusi állattartásra. *Juhászvárosnak* is emlegették, majd később az egyre jelentősebbé váló disznóhizlalásra célozva *Kukorica-*

városnak. A disznótartás vált egyrészt a híres *szegedi szappan*, másrészt az innen kiterjedő *szalámigyártás* forrásává.

Rókus fejlődésének a Pozsonyi Ignác alapította közkórház (1803) és az önálló plébánia (1805) adott újabb lendületet. A fatemplom helyén 1833-ban épült méltó szentegyház. Ezt 1909-ben váltotta föl a mai.

A Víz (1879) után új közintézmények (kenderfonógyár, Csillagbörtön, a 46. gyalogezred laktanyája stb.) növelték meg a városrész szerepét. Századunkban pedig a Város terjeszkedése, az ipar és kereskedelem térfoglalása, a Mars téri piac (1934), vásárcsarnok (1974), autóbusz-pályaudvar (1966) a régi városrészekkel egyenrangúvá tette.

Rókus

Im Aufschwung nach der Türkenzeit entstand in der ersten Hälfte des 18. Jahrhunderts der vierte Stadtteil, Rókus. Den Namen erhielt die Siedlung von der 1739 erbauten St. Rókus Kapelle.

Der Bau eines Krankenhauses und die Einrichtung einer eigenen Pfarrei brachten neuen Aufschwung. Weitere öffentliche Einrichtungen (Hanfseilfabrik, Csillag-Gefängnis, Infanteriekaserne, Markt am Mars-Platz, Markthalle) machten Rókus zu einem gleichrangigen Stadtteil.

Rókus

In addition to the already existing parts of the City, a fourth part, Rókus, was attached in the first half of the 18th century. Its further development was characterized by building a general hospital (1803), and a parish-church.

After the Flood, the hemp factory, the Prison, barracks and other important institutes were built here. Today it is part of the inner city with the market-place, the hall of the Szeged Fair and the bus station in Mars Square.

Rókus

Dans la première moitié du XVIIIᵉ siècle la prospérité après l'occupation turque a fait naître la quatrième partie de la ville, Rókus.

Le nom Rókus vient de la Chapelle Saint-Roch construite en réponse au voeu contre la peste en 1739.

L'Hôpital municipal fondé par Ignác Pozsonyi (1803) ainsi que la paroisse indépendante (1805) ont donné un nouvel élan au développement de Rókus. En 1909, on a bâti l'Eglise d'aujourd'hui.

Après l'Eau (1879), la Filature, la Prison Etoile, la Caserne du 46ᵉ régiment, le Marché de la place de Mars (1934), la Halle du marché (1974) et la Station d'autobus ont été construits.

Móraváros

A vízállásos, nádtermő, itt-ott kerteknek, szőlőnek alkalmas területet a 19. század elején főként alsóvárosiak és rókusiak telepítették be. Nevét nem a félegyházi születésű Móra Ferencről, hanem a Móra Balázs főbírót (1676 körül) is adó törzsökös szegedi családról kapta. Ide jöttek a város legszegényebb néprétegei: kubikosok, téglagyári, kendergyári mun-

kások, napszámosok. Itt jött létre Bakay Nándor köteles-műhelyéből a kenderfonógyár (1877). Gyufagyár (1858), századunkban vasöntöde és textilkombinát növelte Móra-város ipari jellegét. Nem véletlenül lett ez a városrész a szegedi munkásmozgalom bölcsője.

Móraváros

Das schilfbestandene Überschwemmungsgebiet wurde zu Beginn des 19. Jahrhunderts von der Unterstadt und Rókus aus besiedelt.

Hierher zogen die ärmsten Schichten der Stadt. Streichholzfabrik, Hanfseilfabrik, Eisengießerei und Textilkombinat verstärkten den industriellen Charakter des Stadtteils.

Móraváros

This is where the poorest people of Szeged settled down in the early days. The Match Factory, the Ironworks and the Textile Factory are situated here.

Móraváros

Ce terrain propice aux vignes et aux jardins a surtout été peuplé par les habitants d'Alsóváros et de Rókus au début du XIXᵉ siècle.

Les peuples les plus pauvres de la ville s'y sont installés. C'est là que la Filature (1877), la Fabrique d'allumettes (1858), la Fonderie et le Combinat textile ont été fondés.

A rókusi katolikus templom a szentély felől. *(Aigner Sándor és Rainer Károly terve alapján Raichle J. Ferenc építette, 1909.)*

Die katholische St. Rókus Kirche vom Sanktuarium aus.

Catholic Church in Rókus from the sanctuary's side.

Eglise catholique de Rókus vue du choeur.

A Csöndes u. 1. számú családi ház udvara és tornáca igazolja a rómaiak bölcsességét: Kis ház: nagy nyugalom…

„Stille Gasse" untermauert die Weisheit der alten Römer: „Kleines Haus, große Ruhe..."

The yard and the veranda of this detached house verify the Romans' wisdom: little house, big peace...

Le portique et la cour de cette maison prouvent la sagesse des Romains: petite maison, grand calme …

Kossuth Lajos sugárút 42. Városi közkórház.
Vedres István tervei szerint 1805-ben épült.
Többször megújították; sugárúti homlokzatát
1899-ben Vígh Albert alakította ki.

Gemeindekrankenhaus.
Gebaut im Jahre 1805 nach den
Plänen von István Vedres.

General Hospital. It was built
to Vedres István plans in 1805.

Hôpital municipal. Projets de István
Vedres (1805). Rénové plusieurs fois,
il reçut sa façade principale en 1899
d'après les projets de Albert Vígh.

Órásmester a Londoni körúton.
(Londoni körút 12.)

Uhrmacher.

Watchmaker.

Horloger.

A Vadaspark
(a Kálvária sugárút végén,
a Kálvária sugárút és a
Cserepes sor közt terül el).

Zoo.

Zoo.
Parc Zoologique.

Újszeged

A Tisza túloldalán elterülő Újszeged a török alól fölszabadulva a Bánság, 1779-től Torontál vármegye önálló községe, 1796-tól *mezővárosa* volt. Lakói ügyeikben a megyeszékhelyre, Nagybecskerekre vagy a járási székhelyre, Törökkanizsára voltak kénytelenek járni. Szegedieknek és újszegedieknek egyaránt régi kívánságuk teljesült, amikor a Víz után (1880) a mezővárost a városhoz csatolták. Szerb eredetű középkori (1550 körül már előforduló) neve *(Királica)* azt mutatja, hogy ez a terület Zápolya János feleségéé, Izabella királynéé lehetett. 1781-ben Szeged a kincstártól bérbe vette a szőregi uradalmat, amelyhez Újszeged is tartozott. Ekkor épült Vedres István terve szerint a *százlábú híd*, amely 1870-ig állott.

1796-ban kapta Újszeged vásártartási joggal járó mezővárosi rangját. A 19. század első felében sok szegedi, főként alsóvárosi bérelt itt földet. A kertészeti kultúra így települt át ide. Újszeged lett a gyümölcsfa- és rózsatermesztés bölcsője; innen terjedt tovább Szőregre. A neves városatya, Pillich Kálmán 1871-ben nyitotta meg rózsakertészetét.

Az 1849. augusztus 5-i szőregi csata Újszeged és Szőreg határán, a *kamratöltésnél* zajlott. Elesett hősei ma is ott nyugszanak.

Újszeged hivatalos neve 1880 után Erzsébetváros lett, a népligetből pedig Erzsébet-liget, de egyik név sem tudott meggyökeresedni. A vashíd (1883) végképp összekapcsolta a Tisza két partján élőket. 1918–1921 közt Újszeged is szerb megszállás alatt volt.

Az 1944-ben fölrobbantott hidat 1948-ban pótolták. A háború után főként Odessza városrésznek (1962) és a Magyar Tudományos Akadémia Szegedi Biológiai Központjának születése (1973) járult hozzá Újszeged fejlődéséhez. A rendszerváltozás (1989) óta sok magánház, sőt palota, üzlet nőtt ki a földből. A város a közeljövőben is arra terjeszkedik.

Ha majd a városszerkezet úgy kikerekedik, hogy Újszeged déli fele is beépül, s ismét híd köti össze a két partot, megvalósul Füle Lajos szállóigévé vált álma: *a Tisza valóban Szeged főutcája lesz.*

Neu-Szeged

Mit der Eingemeindung des auf dem jenseitigen Theißufer gelegenen Neu-Szeged nach dem Hochwasser wurde ein alter Wunsch sowohl der Szegediner als auch der Neu-Szegediner erfüllt.

1796 war Neu-Szeged in den Rang eines Marktfleckens erhoben worden. In der ersten Hälfte des 19. Jahrhunderts pachteten viele Szegediner, vor allem aus der Unterstadt, hier Land und brachten die Obstbaum- und Rosenzuchtkultur mit, die sich von hier aus nach Szőreg weiter verbreitete.

Der amtliche Name Neu-Szegeds lautete nach 1880 Elisabeth-Stadt, das Volkswäldchen hieß Elisabeth-Wäldchen; beide Namen konnten sich aber nicht durchsetzen.

1883 verband eine eiserne Brücke endgültig die beiden Stadtteile. Die 1944 gesprengte Brücke wurde 1948 durch eine neue ersetzt.

Nach dem zweiten Weltkrieg trug vor allem die Gründung des Stadtteils Odessa (1962) und des Szegediner Biologiezentrums der Ungarischen Akademie der Wissenschaften zur Entwicklung Neuszegeds bei.

Nach der Wende schossen hier viele Privathäuser, darunter regelrechte Paläste und Geschäfte aus dem Boden. In der nächsten Zeit wird sich die Stadt weiter in dieser Richtung ausdehnen.

Újszeged (New Szeged)

Újszeged lies on the opposite side of the River Tisza. The earlier agricultural town was connected to Szeged after the Flood. The bridge built in 1883 linked the two sides of Szeged. After the Second World War Újszeged housed the Hungarian Academy of Sciences' Institute of Biology and a new housing estate.

Since the Fall of the Iron Curtain (1898) many new family houses and shops were built. In the near future Újszeged will provide space for Szeged's extension.

Újszeged

Újszeged s'étend au-delà de la Tisza. L'oppidum a été annexé à la ville après l'Eau (1880).

Dans la première moitié du XIXᵉ siècle, beaucoup de Szegediens, surtout les habitants d'Alsóváros, y ont loué des terres. Újszeged est devenu le berceau de la culture de fruits et de roses.

Le pont de fer (1883) a définitivement relié les habitants des deux rives de la Tisza.

Le pont, bombardé en 1944, a été reconstruit en 1948.

Si la structure de la ville s'arrondit et qu'un nouveau pont lie à nouveau les deux rives, le rêve de Lajos Füle se réalisera : « La Tisza sera la rue principale de Szeged ».

Vízöntő lány *(Zsuzsi)*. Díszkút az újszegedi ligetben.

Wasser ausgießendes Mädchen *(Zsuzsi)*. Brunnen im Volkswäldchen.

Girl pouring water *(Zsuzsi)*. Well in the park in Újszeged.

« Fille versant de l'eau » *(appelée Zsuzsi)*.
Fontaine dans le Parc municipal à Újszeged.

Főfasor (Népliget, Erzsébet-liget, Újszeged).
A diáknyelvben franciásan *lizsé*.

Hauptallee.

Park in Újszeged.

Parc municipal.

Nyár a ligetben.

Sommer im Volkswäldchen.

Summer in the park.

Été dans le bois.

Ősz a Füvészkertben.

Herbst im botanischen Garten.

Autumn in the Botanic Garden.

Automne dans le Jardin Botanique.

Az egyetemi füvészkert (*Hortus botanicus*) székely kapuja (Lövölde út 42.).
A füvészkert fönnállásának 70. évfordulójára *(1992)* állíttatta Gulyás Sándor igazgató; készítette a székely faragó család: *Kászoni Attila, Dániel, István és Jenő.*

Botanischer Garten der Universität.

The Székely Gate of the University's Botanic Garden (Hortus botanicus).

Porte székely du Jardin Botanique de l'Université (Hortus botanicus).

Indiai lótusz – *Nelumbo nucifera.*

Dorozsma

Kiskundorozsma

Szélmalom

Nem forog a dorozsmai szélmalom... Dankó Pista híres dala, Pap Zoltán szövegével őrzi a hajdani szélmalmok emlékét. Dorozsmán az első 1801-ben épült. 1905-ben még 23, 1937-ben már csak 10 volt, mára ez az egy maradt. 1821-ben Czékus gazda építette, 1900-ban Faragó György (†1949) vette meg. Halála után nem akadt bele molnár. Az 1970. évi belvíz megroggyantotta. A műemlékvédelem 1974-ben megmentette. A malom megsérült és hiányzó alkatrészeit egy közeli tanyai szélmalomból, részben újakkal pótolták.

Die erste Windmühle von Dorozsma wurde 1801 gebaut. 1905 gab es noch 23, 1937 nur noch 10 Mühlen, und das ist die letzte. Die durch das Hochwasser von 1970 schwer beschädigte Mühle wurde 1974 durch den staatlichen Denkmalschutz restauriert. Das Gebäude wurde mit Bauteilen aus einer anderen Ruine wiederhergestellt.

Windmill in Dorozsma (constructed by a Hungarian farmer in 1821). Public monument since 1974. The mill had got damaged , its missing parts were replaced partly with new ones and with components of a near farm-mill.

« Les ailes du moulin ne tournent plus … » Cet air bien connu de Pista Dankó (texte: Zoltán Pap) garde le souvenir des moulins à vent d'autrefois. Le premier moulin à vent fut construit à Dorozsma en 1801, il y avait encore 23 moulins à vent en 1905, 10 en 1937. Le seul qui existe encore, a été construit en 1821 par le fermier Czékus et a été acheté en 1900 par György Faragó (†1949). Resté sans meunier, le moulin a été endommagé par les eaux d'infiltration en 1970. Sa rénovation a eu lieu en 1974. Les pièces endommagées du moulin ont été remplacées en partie par celles d'un vieux moulin dans la proximité, en partie par des pièces toutes nouvelles.

A dorozsmai templomot a korábbinak a helyén Rábel György gyöngyösi építőmester 1793-tól a klasszicizáló késő barokk (copf) ízlés szerint építette. 1796-ban már kereszteltek benne, 1804-ben bővítették, tornyát csak 1822-ben emelték. Háromezer főt képes befogadni!

Mit dem Bau der spätbarocken Kirche von Dorozsma wurde 1793 begonnen, der Turm wurde erst 1822 fertig. Sie bietet Platz für 3000 Gläubigen.

Dorozsma Church in neo-classical late Baroque style. It can seat 3000 people.

L'église de Dorozsma a été construite entre 1793 et 1796 par un constructeur de Gyöngyös, György Rábel, sur l'emplacement d'une église d'autrefois. Le style de l'église reflète le goût du baroque tardif. Élargie en 1804 pour pouvoir accueillir 3000 fidèles, l'église ne reçut une tour qu'en 1822.

Alsóváros kisugárzásaként Dorozsmán is akad napsugárdíszes oromzatú ház (Vitorla u. 8.).

Die sogenannten Sonnenstrahlhäuser gibt es auch in Dorozsma.

Lower Town influences Dorozsma – detached house with sunray ornament.

Grâce au rayonnement de la Basse-Ville (Alsóváros), il y a, à Dorozsma aussi, quelques maison à façade en rayons de soleil.

Szőreg

A török elől és a törökkel egyaránt jöttek szerbek Szőregre. A 19. század második feléig többségben voltak; Szőreget „szerb falunak" tekintették. Az 1992-ben megújult templomuk 1779 és 1785 között épült. A szentélyt a hajótól elválasztó szentképfala (ikonosztázionja) 1912-ben készült. Érdekesség, hogy Aranyszájú Szent János és Szent Miklós képén festőjüknek, a szegedi Nagy Ferencnek neve cirill betűkkel van ráírva (1843).

Szőreg wurde seit der Türkenzeit bis zur zweiten Hälfte des 19. Jahrhunderts als „serbisches Dorf" angesehen. Die Kirche der Serben wurde zwischen 1779 und 1785 gebaut.

Serbian Church dates from the 18th century. Iconostasis , separating the sanctuary from the nave, was made in 1912. In the 19th century Szőreg was called „Serbian Village", considering the great number of Serbian inhabitants.

Avec les Turcs et devant les Turcs, des Serbes arrivèrent à Szőreg. Jusqu'à la deuxième moitié du 19e siècle, ils formaient la majorité – Szőreg était considéré comme un village serbe. L'église orthodoxe, rénovée en 1992, a été construite entre 1779 et 1785. L'iconostase qui sépare la nef et le chœur a été faite en 1912. Il est intéressant de voir que le nom du peintre, Ferenc Nagy (de Szeged), figure en lettres cyrilliques sur les icônes de saint Jean Chrysostome et de saint Nicolas (1843).

Szőreg a török kitakarodása után a 18. század elején települt újjá főként szeged-alsóvárosiakkal. Lelkipásztoraik is sokáig a ferences barátok voltak. Az 1752-ben fából épült templomuk helyén a kegyúr, Szeged városa 1816-ban Vedres István tervei szerint építtette a mai klasszicista templomot Szent Katalin tiszteletére.

Nach dem Auszug der Türken wurde Szőreg mit Einwohnern der Unterstadt neu besiedelt. Ihre Pfarrer gehörten auch den Unterstädter Franziskaner an. Die heutige Kirche wurde 1816 im klassizistischen Stil erbaut.

After the Turkish occupation (18th century) Lower Town people settled down here. Their church – in classical style – is in honour of Saint Catharine.

Après l'occupation turque, Szőreg a été repeuplé au début du 18e siècle, par des gens venus surtout de Szeged-Alsóváros (la « Basse-Ville » de Szeged), leurs prêtres furent pendant longtemps des Frères Mineurs. Sur l'emplacement de l'ancienne église de bois, la nouvelle église patronale Sainte-Catherine, de style classicisant, a été construite par la ville de Szeged, selon les projets de István Vedres.

Szentmihály

A 14. században Prágában a hitéért a Moldvába ölt Nepomuki Szent János a néphit szerint a vizektől óvja a településeket. Hazai tisztelete a 18. század második felében bontakozott ki. Szobra a Maty-ér hídján a hagyomány szerint a híddal egy időben, még akkoriban készült. Itt vezetett hajdan az út Szabadkára. 1944-ben lövedéktől megsérült fejét 1955-ben javították meg.

Seit dem 18. Jahrhundert wird in Ungarn Sankt Johannes von Nepomuk verehrt. Seine Statue steht auf der ebenfalls aus dieser Zeit stammenden Brücke der Maty-ér. Hier führte der Weg früher nach Szabadka.

Saint John of Nepomuk protects settlements from tides. His statue was put up on the bridge of Rill Maty.

Selon la croyance du peuple, saint Jean Népomucène, noyé, au 14e siècle, dans la Vltava (à Prague) pour sa foi, défend les localités contre les inondations. Son culte remonte en Hongrie au 18e siècle: sa statue sur le petit pont et le pont même au-dessus du Maty-ér auraient le même âge selon la tradition. Ce fut, à l'époque, le chemin pour aller à Szabadka (Subotica). La tête de la statue, endommagée en 1944 par une balle, a été restaurée en 1955.

Tápé

Az ősi falut 1138-ban már oklevél említi. Temploma már akkor állott; a szentély és a torony alsó része a 13. században épült. A gótikus templomot a 18. század végén barokk stílusban átépítették. 1940-ben fölújították, bővítették: a középkori szentély és a hajó a mai templom kereszthajója lett. A szentélyben megmaradt freskók a 13–14. században születtek. A 19. század végén lemeszelték őket, s csak 1939-ben kerültek újból napvilágra. Hiányaik miatt csak föltételezés, hogy a tizenkét apostolt örökítik meg.

Das uralte Tápé wurde bereits 1138 urkundlich erwähnt. Die Kirche des Dorfes stammt aus dieser Zeit. Die Fresken im Sanktuarium stammen aus dem 13–14. Jahrhundert.

The ancient village has already been mentioned in a charter, dating back to 1138. Its church stood then; the sanctuary and the watch-tower were built in the 13th century. The Gothic church has been reconstructed in Baroque style in the 18th century. The remaining frescos were born in the 13th–14th century.

Le nom de l'ancien village figure dans une charte en 1138 déjà. Le chœur et la partie inférieure de la tour ont été construits au 13ᵉ siècle. L'église ogivale a été reconstruite en style baroque vers la fin du 18ᵉ siècle, rénovée et élargie en 1940 : la nef et le chœur sont devenus alors le transept de l'église. Les fresques dans le chœur furent peintes au cours des 13ᵉ et 14ᵉ siècles. Crépies à la chaux, elles ne réapparurent qu'en 1939. On se doute d'une partie de la représentation des douze apôtres.

A templom oldalbejárata előtti Szentháromság-szobrot 1913-ban Miklós Balogh Andrásné állíttatta. 1938-ig ez volt a főbejárat.

Dreiheiligkeitsstatue am seitlichen Kircheneingang

Holy Trinity Statue in front of the church's side-entrance. It used to be the main-entrance until 1938.

La statue de la sainte Trinité devant l'entrée latérale de l'église (entrée principale jusqu'en 1938).

Az 1879-i Víz nem csak Szegedet, hanem Tápét is elpusztította. A temetői kápolnát is. Ezt a mostanit a tápai szentembörnek, Miklós Jakó Istvánnak (1838–1895) kezdeményezésére azután építették Kármelhegyi Boldogasszony tiszteletére. A szentembör benne helyezte el 1865. évi szentföldi és 1888-i római zarándoklatának emléktárgyait. A temetőt 1964-ben lezárták, a kápolnát 1967-ben fölújították

Das Hochwasser von 1879 hat auch Tápé in Ruinen gesetzt. Die neue Kapelle wurde auf die Initiativeres Heiligen Mannes von Tápé, Miklós Jakó István, gebaut

In 1879 the Great Flood destroyed not only Szeged but Tápé and the cemetery-chapel too. It was rebuilt in 1967

La grande inondation de 1879 détruisit non seulement Szeged, mais aussi Tápé, avec sa petite chapelle au cimetière. La chapelle Notre-Dame du Carmel qu'on voit aujourd'hui a été construite par l'initiative d'un « saint » du village, du pieux et dévot István Miklós Jakó (1838–1895) qui y déplaça les souvenirs de ses pélerinages en Terre Sainte (1865) et à Rome (1888). Le cimetière est fermé depuis 1964 la chapelle a été rénovée en 1967

A Tisza

Petőfi óta a legmagyarabb folyónak tartjuk: a történelmi Magyarországon volt forrása és torkolata. 1846/47 fordulóján róla írt verse alapjaiban határozta meg tájszemléletünket. Utána, 1847. július 17-i útilevelében így vallott: „Úgy szeretem e folyót! Talán azért, mert tetőtül talpig magyar: hazánkban születik és hazánkban hal meg, és ép[p]en az alföldön vándorol keresztül, az én kedves alföldemen."

Előtte Bessenyei György *A Tiszának reggeli gyönyörűségéről* (1772) lelkendezett; Petőfi *nyári napnak alkonyúlatánál* állott meg *a kanyargó Tiszánál*; Gárdonyi Géza pedig legszebb versében az éjszaka varázslatával idézte a romantikus történelem szerint a folyóban nyugvó hun királyt:

> *Feljött a hold a Tiszára,*
> *Csend borult a fűre, fára,*
> *Szeged alatt a szigetnél*
> *Áll egy ódon halászbárka...*
>
> (*Éjjel a Tiszán*, 1904)

Juhász Gyula Máramarosszigetnél a Felső-Tiszát, Csongrádnál a középsőt, Szegednél a Dunába tartó *szent folyót* énekelte meg. Ő is az alkonyati folyót szerette: ez tükrözte vissza leghívebben borongós érzéseinek hangulatát. De ő fogalmazta meg így szegedi hitvallását:

> *Érzem, hogy az öreg Tisza felett*
> *Az örök élet csillaga remeg.*
>
> (*Szeged*, 1919)

Tömörkény Istvántól tudjuk, hogy a szögedi nemzet ősi szertartása volt a *vizecske* föltekintése. „Azt meg kell látogatni. Meg kell nézni, hogy mint van a vizecske. Apadt-e, áradt-e? Milyen hajók járnak ma rajta? Seprőt, almát, tüzelőfát, mennyit hoztak a tutajosok? Ezt mind megtudni polgári kötelesség; valóban, a vizecske időszakonkint meglátogatandó" (*Időtöltés ünnepdélelőtt*, 1910)

Ám a Tisza nem mindig volt méltó a szegediektől kapott becenevére. Igaz, a város nemcsak létét, hanem nevét is a folyónak köszönhette, de történelme során gyakran vált áldozatává is. Vízjárása szélsőséges: legnagyobb hozama olykor a negyvenszerese a legkisebbnek! A Víz 1879. március 12-ére virradóra elmosta a régi Szegedet. De mint nemrégiben a pusztító árnak megvolt az az előnye, hogy megtisztította a vizet a ciánszennyeződéstől, a Város legnagyobb pusztulásából született a modern, a *palotás Szeged*, olyan belvárossal és városszerkezettel, mely máig meghatározója a városfejlesztésnek.

S a legújabb szállóige szerint, amely a várostervező Füle Lajostól származik, a *Tisza Szeged főutcája*. Már most is, de még inkább így lesz a 21. században.

Die Theiß   The Tisza   La Tisza

Seit Sándor Petőfi, dem großen Dichter, gilt es als der „meist-ungarische Fluss" – es entsprang und mündete in dem historischen Ungarn.

Von dem berühmten Szegediner Schriftsteller István Tömörkény erfahren wir, dass ein „uralter Brauch" der Szegediner Bürger die Anschauung des „Wässerchens" war – obwohl die Theiß den Kosenamen nicht immer verdient hat.

Die Stadt hat sein Leben, sogar seinen Namen dem Fluss zu verdanken, doch mehrmals in ihrer Geschichte fiel sie ihm gerade zum Opfer.

Sein Wasserergiebigkeit ist manchmal 40mal größer als die kleinste Wasserabgabe – am 12. März 1879 schwemmte das Hochwasser die Stadt ab. Und jedoch, wie nach der jüngsten Naturkatastrophe der Zyanidvergiftung das Hochwasser die gefährlichen Folgen beseitigen konnte, wurde aus den Ruinen der alten Szeged eine moderne Stadt geboren. Eine Stadt, wo die Rolle der Hauptstraße der Fluss spielt – welche Rolle im 21. Jahrhundert noch markanter sein kann.

The River Tisza has been regarded as the „Most Hungarian River" since the age of Petőfi Sándor – its spring and its firth were in the territory of the historical Hungary.

Considering Tömörkény István's words, the ancient convention of Szeged people was the „viewing of the little water", although it wasn't always worthy of this nickname.

Though the city thanks the river for its existence and name, it often became the victim of the River Tisza.

The change of its water-level is extreme: its biggest water output is sometimes four times as much as the smallest one.

On 12 March 1879 the water swept away the old Szeged. But as recently the flood had its benefit-it cleaned the water of the cyanide contamination; once the biggest destruction of the city resulted in the birth of the modern Szeged, with a city centre and a city structure, which appoints the development of Szeged even today. Today the River Tisza is the High Street of Szeged and it will have this function even in the 21th century.

Depuis le poète Sándor Petőfi, la Tisza est considérée comme la rivière « la plus hongroise » : sa source et son embouchure se trouvent sur le territoire de la Hongrie historique.

L'écrivain István Tömörkény nous raconte qu'une des coutumes des habitants de Szeged fut d'aller regarder la « petite eau » , bien que la Tisza ne fût pas toujours digne de ce diminutif.

La ville doit son existence et même son nom à cette rivière, mais, au cours de son histoire, Szeged en fut souvent la victime: il y a des écarts énormes entre les niveaux de l'eau: le maximum du régime de l'eau est quarante fois plus grand que le minimum. Le 12 mars 1879, la Tisza détruisit la ville ancienne. Pourtant, certains avantages sont indéniables : avec sa structure qui détermine aujourd'hui encore tout développement, la ville moderne est née sur les ruines de l'ancien bourg, et tout récemment, ce sont les fortes crues qui ont épuré l'eau des pollutions de cyanure … La Tisza est la « grand-rue » de Szeged, et ce rôle aura certainement encore plus d'importance dans l'avenir.

A Belvárosi híd és a Dóm.

Die Innenstadt-Brücke und der Dom.

Inner-city-bridge and the Votive Church.

Pont du centre ville et le Dôme.

Újszeged homokos partja és a Belvárosi híd.

Sandufer von Újszeged mit der Innenstadt-Brücke.

Sandy riverbank in New Szeged and the Inner-city-bridge.

Le rivage sablonneux à Újszeged et le pont du centre ville.

A Belvárosi híd.
Die Innenstadt-Brücke.
Inner-city-bridge.
Pont du centre ville.

Hídföljáró az árnyéktól
megkettőzött korláttal.

Brückenaufgang.

Abutment
of the bridge.

Rampe du pont.

A 12 m magas, krómacélból készült centenáriumi árvízi emlékmű *(Segesdi György, 1979)*. A romboló hullámokat stilizáló fémgörbületek fölött az égbe meredő oszlopok a helytállást, az emberi akaraterő győzelmét jelképezik.

Das Hochwasserdenkmal.

Flood Memorial, erected on the 100th anniversary of the Flood.

Monument du centenaire de l'inondation. Oeuvre en acier chromé, haute de 12 m.

A Belvárosi híd és a Dóm.

Die Innenstadt-Brücke und der Dom.

Inner-city-bridge and the Votive Church.

Pont du centre ville et le Dôme.

Tiszai napfölkelte.

Sonnenaufgang auf der Theiß.

The River Tisza.

Lever du soleil au-dessus de la Tisza.

Horgász a Tisza-parton.
Fischer an der Theiß.
Fisherman on the river.
Pêcheur au bord de la Tisza.

A Belvárosi híd és a Dóm.
Die Innenstadt-Brücke und der Dom.
Inner-city-bridge and the Votive Church.
Pont du centre ville et le Dôme.

Tartalom
Inhalt / Contents / Table des matières

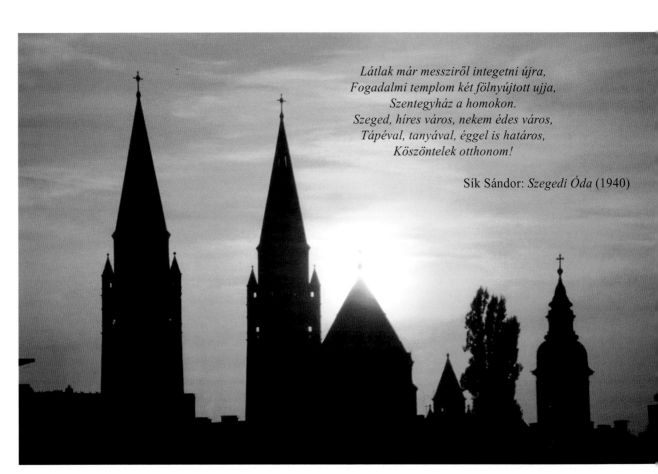

Látlak már messziről integetni újra,
Fogadalmi templom két fölnyújtott ujja,
Szentegyház a homokon.
Szeged, híres város, nekem édes város,
Tápéval, tanyával, éggel is határos,
Köszöntelek otthonom!

Sík Sándor: *Szegedi Óda* (1940)